Découvrir la musique

Patrick Toffin

Enseignant au Conservatoire d'Ivry-sur-Seine
et à la Schola Cantorum

Frédéric Platzer

Agrégé de l'Université
Professeur d'éducation musicale
au collège George Sand de Crégy-lès-Meaux

avec la collaboration
de Sonia Duval

Les auteurs tiennent à exprimer leur reconnaissance à Flavien Pierson, d'Integral Distribution, qui a permis et facilité la réalisation du disque compact.

Couverture
Studio Favre & Lhaïk

Maquette intérieure
Studio Favre & Lhaïk

Mise en page
Valérie Klein/Domino

Illustration de couverture
Jean Pougny (1884-1956), *Musicien synthétique*, 1921, Berlinischer Galerie,
© Réunion des Musées nationaux/ADAGP, Paris, 2003.

Iconographie
Josselyne Chamarat

Réalisation technique du CD
Sonogramme

ISBN : 978-2-01-125347-7

Avant-propos

Cet ouvrage vise à répondre de façon pratique aux attentes formulées dans les programmes d'éducation musicale de l'enseignement secondaire. Il permettra à l'élève d'approfondir ses connaissances et de développer sa curiosité, en complément du cours suivi avec le professeur en classe. Véritable outil pédagogique, ce parcours musical propose une étude des principales notions musicales abordées au collège et au lycée. Pour faciliter l'apprentissage, **quatre approches complémentaires** ont été envisagées :

Une approche historique

Sous la forme d'un **exposé** clair et concis, elle permet à l'élève de collège et de lycée de connaître les jalons chronologiques indispensables à toute compréhension de l'évolution du langage musical, de l'Antiquité jusqu'à nos jours. Présents au début de chaque chapitre, des **repères** historiques replacent chaque période dans son contexte et abordent les faits importants qui s'y rattachent. Une biographie des **grandes figures** de la vie musicale complète ces repères en évoquant précisément les conditions de création des œuvres.

Une approche visuelle

Cet ouvrage se caractérise également par la qualité et la richesse de son iconographie. Conçues comme de véritables mises en perspective du texte, les nombreuses reproductions qu'il contient présentent des **scènes**, des **portraits** et des **instruments** contemporains de chaque période. Véritable prolongement des sujets abordés, les images ne sont pas seulement des illustrations mais un atout pédagogique.

Une approche pratique

Loin d'être uniquement un outil de savoir et de réflexion, ce manuel se veut aussi pratique. Il offre ainsi des activités musicales variées. À la fin de chaque chapitre, les élèves ont la possibilité de découvrir une série de **partitions** adaptées à leur niveau et **destinées à être chantées ou jouées**. Le choix des textes musicaux proposés a été réalisé en relation étroite avec le contenu des chapitres.

Une approche sonore

Il nous a semblé inconcevable qu'un nouvel ouvrage sur la musique, destiné aux élèves du secondaire, ne contienne pas d'extraits musicaux. C'est pourquoi un **disque compact** y trouve naturellement sa place. Il permet aux élèves d'aller directement à la rencontre de la musique, de manière sensible. Chaque période abordée est illustrée de plusieurs enregistrements représentatifs qui sont pour la plupart commentés et analysés dans le manuel.

Les auteurs

La musique au collège

« L'éducation musicale poursuit les objectifs généraux suivants :
– l'implication de l'élève dans une démarche créative ou interprétative ;
– l'acquisition de repères culturels, par le contact avec les œuvres ;
– l'exploitation de moyens techniques d'expression diversifiés. »

La pratique musicale

L'élève doit être capable :

– d' « interpréter un répertoire varié de chants à une ou plusieurs voix, avec ou sans accompagnement, en tenant compte d'exigences techniques et artistiques telles que : la tenue, la mémorisation, la justesse de l'intonation, la qualité sonore, le phrasé, l'articulation, la précision rythmique, les dynamiques et l'expression musicale en rapport avec le style de l'œuvre ; »

– de « réaliser avec un instrument de musique (percussions, synthétiseur, flûte à bec, etc.) une partie simple au sein d'un ensemble à plusieurs voix, en utilisant divers modes de jeu ; »

– de « réinvestir les connaissances techniques et culturelles acquises dans des processus de création musicale. »

L'acquisition de repères culturels

L'élève doit aussi pouvoir :

– « reconnaître les principaux styles musicaux et les replacer dans leur contexte historique et culturel ;

– identifier une vingtaine d'œuvres et leurs particularités ;

– construire un commentaire à l'aide d'un vocabulaire approprié pour rendre compte d'une œuvre écoutée et communiquer aux autres ses impressions. »

L'exploitation de moyens techniques diversifiés

L'élève doit enfin être amené à :
– « maîtriser les possibilités sonores et expressives de sa voix ;
– reconnaître et reproduire des intervalles mélodiques et des rythmes ;
– identifier, à l'oreille, les principaux instruments au sein d'un ensemble ;
– repérer quelques grandes composantes musicales (motifs, accords, variations, formes, etc.). »

Extraits de : *Qu'apprend-on au collège*, Éditions CNDP-XO, 2002.

La musique au lycée

« Au lycée, l'enseignement facultatif de la musique reste une formation à caractère généraliste. Les finalités en sont :

- permettre une maîtrise plus approfondie des connaissances et compétences musicales, pratiques et culturelles ;
- ajouter à cet ensemble de compétences une dimension esthétique et réflexive qui apporte à l'élève l'autonomie nécessaire à ses choix artistiques ultérieurs ;
- mettre en perspective l'éducation musicale reçue par l'élève au cours de sa scolarité et lui permettre de situer sa pratique musicale dans son projet personnel.

Compétences artistiques

À l'aide de sa voix (et éventuellement de l'instrument qu'il pratique), l'élève est capable d'exprimer sa sensibilité et sa musicalité. Il sait faire des choix d'interprétation pertinents. Il sait faire des propositions d'improvisation. Il sait, au sein d'un groupe, contribuer par son jeu à une production de qualité.

Compétences culturelles

L'élève est capable de porter un regard critique argumenté sur ce qu'il chante, joue ou écoute en s'appuyant sur les connaissances acquises et les éléments du langage musical étudiés. Il sait situer une œuvre dans la chronologie et dans son contexte. Il sait l'analyser sous l'angle des thématiques étudiées en classe terminale. Il sait solliciter des compétences relevant d'autres champs artistiques pour élargir son commentaire.

Compétences techniques

L'élève est capable de chanter ou jouer dans une pratique collective ou individuelle. Il sait développer un matériau musical à l'aide de sa voix, de son instrument, ou des outils offerts par les nouvelles technologies. Il sait utiliser ses connaissances pratiques et culturelles pour interpréter la musique, l'élaborer ou l'analyser.

Compétences méthodologiques

Face à un projet musical (interprétation, création, audition d'œuvre), l'élève est capable de mobiliser ses compétences techniques, artistiques et culturelles et de les investir à bon escient. Il évalue ses acquis et identifie ses besoins. Il recherche les informations nécessaires à l'enrichissement de sa démarche artistique. Il planifie son travail. »

Extrait du *B.O.*, 30 août 2001.

Sommaire

Un joueur de harpe joue et chante chez Anhour Khaou et sa femme, peinture murale de la tombe d'Anhour Khaou, Thèbes-Ouest, © Erich Lessing/AKG Paris.

CHAPITRE 1
L'Antiquité

La musique dans l'Antiquité
4000 av. J.-C. - IVe siècle ap. J.-C.

Les premiers témoignages musicaux

Le Joueur de luth, figurine de terre cuite d'Ashnounak, Mésopotamie, fin du IIIe millénaire av. J.-C., Paris, Musée du Louvre, © Hachette-Livre.

Si l'origine de la musique reste pour nous un mystère, c'est en Mésopotamie, vers 4000 avant Jésus-Christ, qu'apparaissent les premiers témoignages d'une activité musicale organisée. La vie musicale dans l'Antiquité est très liée aux rites religieux et au monde des dieux. Les plus anciens instruments connus sont la lyre et la harpe (dont on trouve des représentations chez les Sumériens), le luth, les flûtes ainsi que les instruments à percussion comme les tambours. Aucune trace d'écriture musicale ne nous est parvenue. Les seuls éléments d'information dont nous disposons sont des représentations d'instruments réalisées sur des objets tels que des poteries, des peintures ou des sculptures ornant les monuments funéraires.

La musique au temps de la Bible

D'après l'Ancien Testament, le roi des Hébreux David joue d'une harpe appelée *kinnor*, qui accompagne les chants lors des cérémonies au Temple. Ce même roi David semble être l'auteur des Psaumes, qui seront abondamment mis en musique. La Bible évoque aussi un instrument qui est à l'origine de la chute des murs de Jéricho, le *shofar*, sorte de trompe réalisée avec une corne de bélier.

La musique chez les Égyptiens

La civilisation égyptienne, l'une des plus riches et des plus anciennes de l'Antiquité (vers 3000-332 av. J.-C.), nous a laissé de nombreuses traces de pratiques musicales. Les hiéroglyphes mentionnent précisément le nom des musiciens et celui des instruments qu'ils pratiquent.

Liée à la magie, la musique se joue au temple pour vénérer les dieux, à la cour de Pharaon et pour accompagner les fêtes. Les instruments qui accompagnent les chants sont principalement la harpe, dont les différents modèles (harpe à main, posée sur le sol, harpe géante) se trouvent fréquemment représentés. On rencontre également des instruments comme la flûte, le chalumeau double et la trompette, associée à la célébration des rites funéraires, ainsi que différentes sortes de tambours. Si aucun document écrit portant sur la théorie musicale égyptienne ne nous est parvenu, les instruments, en revanche, ont bénéficié d'une excellente conservation dans le sol grâce au climat sec du pays.

Musiciennes, tombe d'Horemheb, période de Thoutmosis IV (1420-1411 av. J.-C.), planche XXXV de l'ouvrage de Nina Davies, P*eintures égyptiennes anciennes*, Paris, Bibliothèque du Louvre, © Erich Lessing/AKG Paris.

La musique dans l'Antiquité grecque

Au même titre que la philosophie ou les mathématiques, la musique occupe une place très importante dans la culture de la Grèce antique. Le chant et la pratique d'un instrument font partie intégrante de l'éducation d'un homme libre.

La notation musicale grecque aurait été inventée par le mathématicien Pythagore (?-499 av. J.-C.) Elle se perfectionne ensuite grâce à Aristoxène de Tarente (354-300 av. J.-C.), élève du philosophe Aristote. Il existe deux systèmes différents pour noter la musique, l'un étant utilisé pour les instruments, l'autre pour le chant.

Les Grecs possèdent une variété d'instruments très importante. Les plus connus sont la cithare, la lyre et l'*aulos*, instrument à vent fabriqué d'abord en roseau, puis en bois, en métal et même en ivoire.

La voix chantée est très appréciée, que ce soit en soliste ou dans des chœurs. Des concours prestigieux s'organisent régulièrement dans tout le pays où s'affrontent les virtuoses les plus réputés.

Le théâtre est très prisé par le public. Les représentations se déroulent en plein air dans des amphithéâtres dont certains peuvent accueillir jusqu'à 15 000 spectateurs. Les pièces tragiques ou comiques sont des spectacles complets qui mêlent la musique, la poésie et la danse.

Jeune homme jouant de la lyre lors d'un banquet, médaillon central d'une coupe à figures rouges, vers 500 av. J.-C., Paris, Musée du Louvre, © Erich Lessing/AKG Paris.

Aulète : joueur de double flûte, médaillon central d'une coupe à figures rouges de Vulci, vers 490 av. J.-C., Paris, Musée du Louvre, © Erich Lessing/AKG Paris.

La musique dans l'Antiquité romaine

Pour accompagner les cérémonies militaires et les combats organisés dans les amphithéâtres, les Romains utilisent de grands ensembles d'instruments à vent en cuivre. Les instruments principaux, issus de la culture étrusque, sont le tuba (terme désignant les différents cuivres), le *lituus* (sorte de cor à pavillon recourbé), et la *bucina* ressemblant à une petite trompette. Les Romains jouent également de nombreux instruments à percussion, comme les crotales (claquettes métalliques), les cymbales, ou le tympanon (tambourin).

Acteur et citharède, fresque d'Herculanum, Ier-IIIe s. ap. J.-C., Naples, Musée archéologique, © Erich Lessing/AKG Paris.

Musiciens de rue, mosaïque romaine d'après un original grec, Villa Ciceros à Pompéi, IIIe s. av. J.-C., Naples, Musée archéologique, © Erich Lessing/AKG Paris.
L'enfant joue du cornet, la femme de la *tibia*, le personnage central des cymbales et celui de droite du tambourin.

Fresque attribuée au maître de Tolentino, *Scène de la vie de saint Nicolas de Tolentino* : un chœur de moines, Chapelle Saint-Nicolas, Italie, © Dagli Orti.

La civilisation du Moyen Âge s'étend de la chute de l'Empire romain, au milieu du Vᵉ siècle, aux expéditions de Christophe Colomb, à la fin du XVᵉ siècle. C'est **au sein de l'Église chrétienne** que **la musique se développe** alors, évoluant du plain-chant* grégorien* à la polyphonie*. À partir du XIᵉ siècle, au temps des cathédrales et du développement des échanges commerciaux, la musique ne se cantonne plus aux offices religieux ; elle illustre les mystères sur le parvis des cathédrales et des églises tandis que les **troubadours** puis les **trouvères** font entendre dans les cours des châteaux une **musique profane** tout aussi élaborée.

CHAPITRE 2

Le Moyen Âge

Le Moyen Âge : mille ans de musique

La musique chez les premiers chrétiens

Les premières manifestations de la musique médiévale correspondent aux débuts de la Chrétienté. D'abord persécutés sous l'Empire romain, les premiers chrétiens se réunissent secrètement pour célébrer leur foi. La messe, fortement influencée par la tradition juive et par les civilisations du bassin méditerranéen, s'appuie sur des textes tirés de la Bible, les **psaumes**, et alterne les chants récités appelés psalmodies et les prières. Pour accompagner la liturgie*, le **chant** est **monodique***, c'est-à-dire chanté à une seule voix. Les instruments étant interdits, on chante *a cappella* (sans accompagnement). En 313, l'édit de Milan promulgué par l'empereur Constantin autorise les chrétiens à pratiquer librement leur religion et le christianisme se répand progressivement dans toute l'Europe.

La Réforme du pape Grégoire Ier

Du IVe au XIe siècle, la musique, orale jusque-là, bénéficie du développement des premières techniques d'écriture. De nouvelles Églises apparaissent, chacune célébrant à sa manière le culte chrétien et développant une façon de chanter originale. Pour donner à la pratique religieuse une véritable unité et asseoir le pouvoir de l'Église romaine, le pape Grégoire Ier (pape de 590 à 604) entreprend une profonde réforme de la liturgie, tente d'uniformiser les pratiques et réglemente le chant religieux. Cette nouvelle façon de chanter portera le nom de **chant grégorien***. Désormais, les textes sont chantés en latin par des chœurs d'hommes à l'unisson sans accompagnement

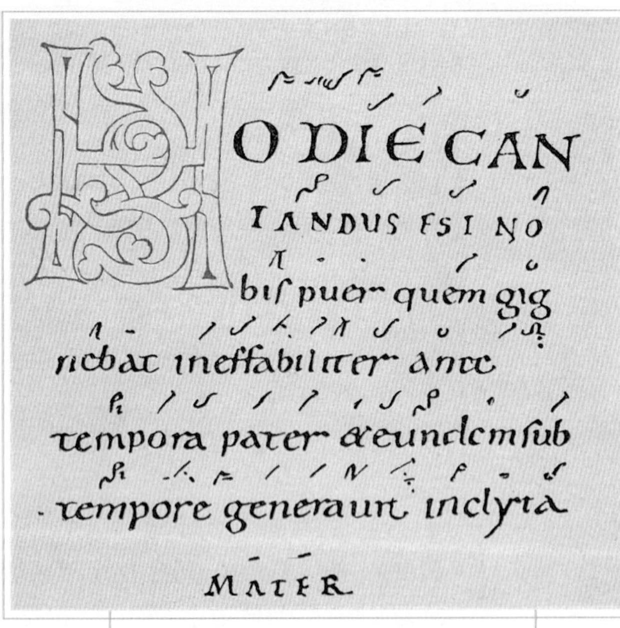

Manuscrit de Saint-Gall, © AKG Paris.
Les neumes sont de petits signes placés au-dessus du texte qui représentent les inflexions de la voix.

instrumental. Grégoire fonde à Rome une école de chanteurs, la *Schola cantorum*, qui se consacre au chant choral pontifical. Le chant grégorien est noté en **neumes**, mot d'origine grecque signifiant geste ou signe.

Une vaste recension et une simplification des mélodies romaines s'opèrent petit à petit, sous l'influence de Rome. En 813, au concile de Tours, Charlemagne fait appliquer la réforme grégorienne à l'ensemble de l'Empire.

Naissance de la polyphonie

De nouvelles formes musicales voient le jour : les **tropes*** et les **séquences***. Au IXe siècle apparaît sous le nom d'**organum*** la polyphonie ou l'art de superposer les sons. Cet *organum* se développe aux XIIe et XIIIe siècles. À Paris, un centre musical réputé se forme autour des maîtres de la chapelle Notre-Dame, Léonin puis Pérotin le Grand.

L'*Ars nova* : un nouveau langage musical

Philippe de Vitry écrit vers 1325 un traité musical intitulé *Ars nova* (*art nouveau*). Ce traité (voir p. 21) apporte de profonds changements dans l'écriture musicale (les changements de mesure sont indiqués par des notes de couleur rouge) et dans l'utilisation du rythme. L'œuvre musicale la plus célèbre de Philippe de Vitry est le *Roman de Fauvel*. À sa suite, un autre musicien, Guillaume de Machaut (voir p. 22), adopte les principes d'écriture de l'*Ars nova* et compose, outre de nombreuses chansons, le premier ordinaire* de la messe à quatre voix, intitulé *Messe de Notre-Dame*.

Les compositions de cette époque sont devenues tellement complexes du point de vue du rythme (les mélodies grégoriennes* ne sont plus reconnaissables) que le pape Jean XXII promulgue un texte condamnant les excès dans ce domaine et recommandant plus de simplicité dans l'écriture musicale.

La musique profane, troubadours et trouvères

Les troubadours apparaissent à la fin du XIe siècle dans le Sud de la France. Ils composent en langue d'oc des chansons qui racontent des histoires d'amour ou de chevalerie. Un des troubadours les plus connus est Guillaume IX (1071-1127), comte de Poitiers et duc d'Aquitaine, qui chante ses aventures en croisade.

Plus de 2 500 textes de ces compositeurs-poètes sont parvenus jusqu'à nous. Les trouvères succèdent aux troubadours au XIIIe siècle. Situés au Nord de la France, ils chantent en langue d'oïl des poèmes d'amour courtois. Adam de la Halle (1240-1287) compose en 1285 *Le Jeu de Robin et Marion* qui connaît un grand succès.

Troubadour jouant de la vièle à une cour seigneuriale, *Cantigas de Santa Maria*, Bibliothèque de l'Escorial, Madrid, © Dagli Orti.

Troubadours et trouvères.

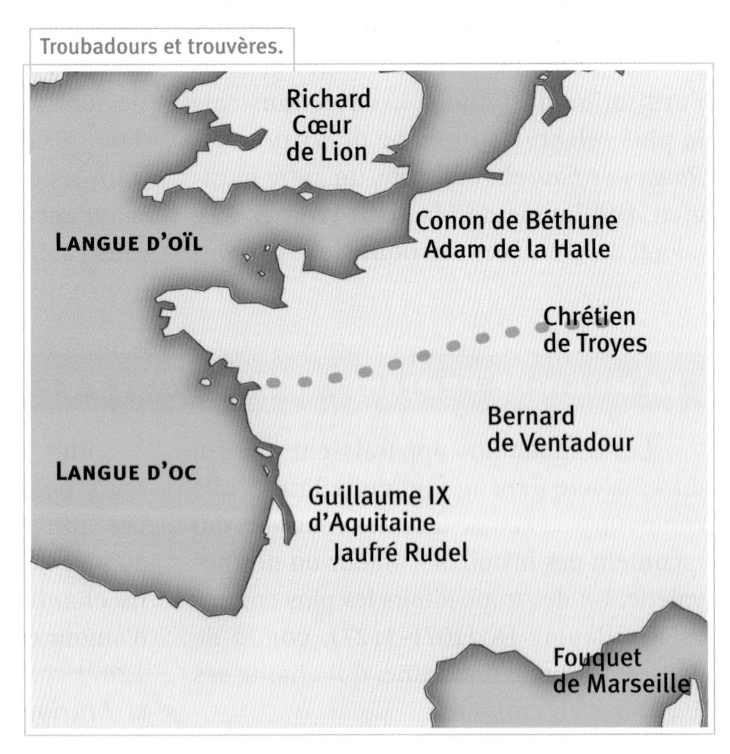

L'histoire de ce qui est considéré comme un des premiers « **opéras-comiques*** » français, puisqu'il associe intrigue théâtrale, musique et chant, est la suivante : Robin (un gentil berger) s'interpose avec ses amis pour défendre sa bergère (la gentille Marion) contre les avances d'un méchant chevalier. Tout finit bien et l'on fête la victoire de nos deux héros au cours d'un banquet où l'on danse.

La musique en Angleterre, en Bourgogne et en Flandres

S'éloignant d'un monde troublé par les guerres, la peste et la famine, la vie musicale se transporte dans les régions ou l'activité économique est plus florissante.

En Angleterre, John Dunstable (vers 1400-1453), musicien attaché à la cour du duc de Bedford, compose surtout de la musique religieuse.

La cour des ducs de Bourgogne, alliés des Anglais, est riche et attire de nombreux artistes de renom comme Gilles Binchois (voir biographie, p. 23), maître* de chapelle au service de Philippe le Bon.

En Flandres, le compositeur Guillaume Dufay (voir biographie, p. 23) écrit de nombreuses chansons latines, italiennes et françaises mais aussi de la musique religieuse et des **motets***. Son élève, Johannes Ockeghem (voir biographie, p. 23), laisse une œuvre essentiellement religieuse.

Avec Josquin des Prés (voir biographie, p. 34), surnommé « prince de la musique » par les compositeurs de son temps, s'annonce une nouvelle ère, celle de la Renaissance.

Jardin d'amour à la cour de Philippe le Bon (détail), 1431, Musée du château de Versailles, © Dagli Orti.

Quelques jalons

• La liturgie

La liturgie, c'est-à-dire l'organisation des offices religieux chrétiens, se met en place à partir du IVe siècle. En 313, l'édit de Milan promulgué par l'empereur Constantin autorise la pratique de la religion chrétienne dans tout l'Empire. Saint Jérôme passe quinze ans à traduire la Bible de l'hébreu en latin et en donne une version reconnue désormais comme officielle : la Vulgate. C'est cette version qui servira à l'élaboration des chants d'église.

Tropaire Saint-Martial de Limoges, musiciens jouant de la flûte double et des castagnettes, XIe siècle, Paris, Bibliothèque nationale, © Bridgeman Giraudon.
Le tropaire est un recueil de chants religieux. Les neumes* apparaissent ici au-dessus du texte.

• Boèce

Boèce (480-524) écrit un ouvrage fondamental sur la musique, *De Institutione musica*, dans lequel il reprend les théories musicales de l'Antiquité grecque. Il affirme qu'il existe trois sortes de musiques : la musique des sphères (que font les planètes en tournant), la musique humaine (que produisent le corps et l'âme) et la musique instrumentale (produite par la voix et les instruments, la seule audible par l'Homme). Ces théories seront reprises jusqu'à la fin du Moyen Âge.

• Le plain-chant

Le plain-chant*, dérivé du chant religieux juif (surtout des psaumes) et de la musique grecque, est en usage à Rome au Ve siècle, avec ses deux formes principales : en deux groupes chantant en alternance ou avec un soliste répondant au chœur.

• Grégoire le Grand

Grégoire le Grand († 604) devient pape en 590. Il réorganise le chant religieux et fonde la *Schola cantorum*.

• Notker le Bègue

Notker le Bègue (vers 840-912) est un moine de la prestigieuse abbaye de Saint-Gall (en Suisse actuelle) qui résout son problème d'apprentissage des longues vocalises grégoriennes* en écrivant des poèmes dont les syllabes se placent sous chaque note de la mélodie*. Ce procédé porte le nom de **trope***.

• La notation musicale

De la même époque datent les premiers exemples de **notation musicale**, sous la forme de signes indiquant les inflexions de la voix (**neumes**), encore peu précis (voir illustration p. 16) car uniquement destinés à soutenir la mémoire des chantres*.

• Apparition de l'*organum*

L'apparition de l'*organum* (IXe siècle) constitue la première manifestation d'une musique polyphonique*, c'est-à-dire qui fait entendre plusieurs sons en même temps. Au début, la seconde voix suit la mélodie de la voix préexistante, avant de prendre plus de libertés au cours des siècles suivants.

• Gui d'Arezzo

Gui d'Arezzo (992-vers 1050) est un théoricien et un pédagogue dont l'influence a été considérable dans les domaines de la notation musicale et du solfège (voir p. 25).

• Guillaume IX d'Aquitaine

Guillaume IX d'Aquitaine (1071-1127) fut le plus grand troubadour de langue d'oc (langue du Sud de la France). Par ses mariages avec les rois de France et d'Angleterre Louis VII puis Henri II, sa petite-fille Aliénor d'Aquitaine contribue à diffuser la tradition courtoise en pays de langue d'oïl (langue du Nord) où les poètes-musiciens se nomment les trouvères.

• L'École de Notre-Dame

L'École de Notre-Dame (fin XIIe-XIIIe siècle) rassemble des compositeurs actifs à Paris au moment de la construction de la cathédrale Notre-Dame de Paris. Parmi eux, Pérotin remanie et amplifie les *organa** de son prédécesseur Léonin en augmentant notamment de deux à quatre le nombre des voix. L'époque invente le **motet*** et le **conduit***.

• L'*Ars antiqua*

L'*Ars antiqua* (milieu XIIIe-début XIVe siècle) généralise le motet et met en place la notation mesurée, qui régit la durée des notes et qui apporte plus de précision.

• L'*Ars nova*

L'*Ars nova* (XIVe siècle) poursuit les recherches de l'époque précédente en se concentrant sur le motet et la chanson polyphonique*. La notation devient très complexe. Un goût affirmé pour la virtuosité technique se manifeste. Si le principal courant de l'*Ars nova* est français (avec Guillaume de Machaut), on en trouve également des manifestations en Italie avec Francesco Landini.

• Johannes Ciconia

Johannes Ciconia (1335-1411) est le premier compositeur flamand à venir s'installer et travailler en Italie, où il contribue à diffuser les techniques d'écriture françaises.

• John Dunstable

John Dunstable (vers 1400-1453) est un musicien anglais qui, à l'époque de la guerre de Cent Ans, noue beaucoup de contacts avec les musiciens continentaux, suscitant ainsi de fructueux échanges entre les écoles anglaise et bourguignonne. Une certaine douceur mélodique* et polyphonique venue d'outre-Manche se remarque alors dans les compositions françaises.

Initiale avec un moine chantant, enluminure de missel, XIVe siècle, Florence, Museo di San Marco, © Orsi Battaglini/AKG Paris.
La notation musicale a évolué. Une portée de 4 lignes et des clés apparaissent, les notes sont carrées.

Guillaume de Machaut
(vers 1300-1377)

Illustration pour les œuvres de Guillaume de Machaut, *Le poète Guillaume de Machaut reçoit la personnification de la Nature qui lui présente le sentiment, la rhétorique et la musique*, enluminure française, 1584, Bibliothèque nationale, Paris, © AKG Paris.

• Le voyageur (vers 1300-1337)

Après ses études de théologie à Paris, Guillaume de Machaut passe ses premières années comme secrétaire du roi de Bohême Jean Ier de Luxembourg, qui lui fait parcourir toute l'Europe, des Flandres jusqu'en Russie en passant par l'Italie, au gré de ses déplacements militaires. En remerciement de ses services, il reçoit de nombreuses charges de chanoine dans des villes de l'Est et du Nord de la France, ce qui lui assure de confortables revenus.

• Le lettré (1337-1362)

Toujours au service de Jean Ier, il s'installe à Reims où il est employé successivement par sa fille, Bonne de Luxembourg, Charles le Mauvais (roi de Navarre), le roi de France Charles V et le duc de Berry, qui apprécient tous ses talents de chroniqueur, de poète et de musicien.

• Amour tardif (1362-1377)

Ayant dépassé la soixantaine, Guillaume de Machaut tombe amoureux d'une jeune femme de 20 ans – Péronne d'Armentières – et écrit le *Veoir dict* (*Dit de vérité*), ouvrage qui contient leur correspondance ainsi qu'un poème. Guillaume de Machaut est le principal représentant de l'*Ars nova* dont il maîtrise parfaitement les techniques complexes (rythme, contrepoint*) sans pour autant sacrifier l'expression. Son œuvre la plus célèbre est la *Messe de Notre-Dame,* qui est le premier ordinaire* complet à quatre voix jamais écrit par un compositeur et qui contient de courts passages purement instrumentaux.

Œuvres essentielles

- 19 lais et 33 virelais, pièces monodiques* sur des poèmes de Guillaume de Machaut lui-même
- 42 ballades, pièces comprenant une partie chantée et une ou deux parties instrumentales
- 23 motets* majoritairement profanes
- *Messe de Notre-Dame*
- *Hoquetus David*, pièce instrumentale à trois voix, dont la mélodie* est répartie entre les deux parties supérieures, donnant l'impression de « hoquet »

Les musiciens franco-flamands

Pratiquement tous originaires de régions ou de pays situés au Nord de la France, les musiciens Gilles Binchois, Guillaume Dufay et Johannes Ockeghem ont occupé des postes importants dans les cours de Bourgogne ou de France.

• Gilles Binchois

Gilles Binchois (vers 1400-1460) est l'auteur de quelques pièces de musique religieuse mais c'est avant tout un compositeur de chansons. Une soixantaine de ses œuvres nous sont parvenues. Elles sont écrites à trois voix ; seule la partie supérieure porte un texte, les deux autres étant vraisemblablement confiées à des instruments.

Miniature extraite des *Chants royaux sur la Conception*, couronnés au puy de Rouen de 1519 à 1528, manuscrit français, XVIe siècle, Paris, Bibliothèque nationale, © Bibliothèque nationale. Johannes Ockeghem est représenté devant le lutrin, entouré de chanteurs.

• Guillaume Dufay

Guillaume Dufay (vers 1400-1474) est le principal représentant de la première génération de musiciens franco-flamands, qui, tout en restant encore relativement fidèles aux règles d'écriture traditionnelles du Moyen Âge, commencent à adoucir leurs œuvres en se libérant d'une trop forte technicité et en cherchant à développer l'expression. Outre ses chansons* et ses motets*, il est l'auteur de neuf messes* sur des thèmes très connus à l'époque (comme *L'Homme armé*).

• Johannes Ockeghem

Johannes Ockeghem (vers 1410-1497) est probablement l'élève de Binchois avant de devenir en 1452 maître* de chapelle des rois Charles VII, Louis XI et Charles VIII. Il est tellement apprécié qu'il reçoit régulièrement des charges bien rémunérées comme celle de trésorier de l'abbaye Saint-Martin de Tours ou de chanoine à Notre-Dame de Paris. Sa disparition est unanimement déplorée par les philosophes, poètes et musiciens de son temps. Ockeghem s'illustre principalement dans le domaine de la musique religieuse en écrivant treize messes parmi lesquelles se trouvent le plus ancien *Requiem** polyphonique* jamais écrit ainsi que des œuvres à la technique de composition extraordinaire, puisqu'elles reposent sur des canons* très savants.

Les genres musicaux du Moyen Âge

Toute la musique savante occidentale provient directement des chants de l'Église qui se sont développés à partir du début de l'ère chrétienne et qui ont évolué. En effet, pendant plusieurs siècles, les seules personnes capables de lire et d'écrire – donc de laisser des traces – ont été les hommes d'Église. Les genres non religieux, dits profanes, sont d'abord apparus en tant que simples dérivés des genres sacrés avant de s'en dégager. La musique purement instrumentale ne commence à existe de manière autonome que vers le XIIIe siècle mais, là encore, il s'agit souvent d'adaptations ou de transcriptions.

Miniature du *Codex Manesse*, Heidelberg, Universitätsbibliothek, © AKG Paris.
Le Minnesänger Heinrich von Frauenlob et des musiciens avec tambour, flûte, chalemie, vièles, psaltérion et cornemuse.

• Musique religieuse

GENRES	CARACTÉRISTIQUES	APPARITION
chant grégorien	Plain-chant (chant dont la mélodie est assez statique, monotone) bâti sur les textes latins des psaumes (psalmodie). On trouve le verset (« couplet ») chanté par le soliste et la réponse ou antienne (« refrain ») chantée à l'unisson par le chœur. Les textes font partie du « propre » de la messe (partie spécifique à chaque jour et à chaque saint).	IVe s.
trope	Application d'un texte nouveau à une vocalise* préexistante.	IXe s.
séquence	Trope de la longue vocalise* terminale de l'*alleluia*.	Fin du IXe s.
organum	À partir d'une mélodie* grégorienne* préexistante (*cantus*), une seconde voix parallèle plus grave est inventée (voix organale). Plus tard, cette voix passe à l'aigu et acquiert de l'indépendance tandis que les notes de la voix principale s'allongent. Le nombre de voix s'étend progressivement de 2 à 4.	IXe s.
motet	Au-dessus d'une mélodie grégorienne (la teneur), on adapte d'abord des textes nouveaux à des voix organales puis on place entre 1 et 3 mélodies nouvelles avec des textes différents, parfois écrits dans des langues différentes.	XIVe s.

• Musique profane

GENRES	CARACTÉRISTIQUES	APPARITION
chanson monodique	Chanson des troubadours, puis des trouvères et des Minnesänger (en Allemagne). Il en existe de très nombreux types. L'auteur-compositeur-interprète peut être accompagné d'instruments. Thèmes principaux : amour courtois et danse.	Fin du IXe s.
chanson polyphonique	Composition de 2 à 4 voix, dont 1 partie instrumentale. On nomme ces chansons en fonction des poèmes à partir desquels elles sont composées : ballade, rondeau, lai, virelai, etc.	XIVe s.

Les inventions de Gui d'Arezzo

Le moine italien Gui d'Arezzo est à l'origine de deux importantes innovations concernant la notation musicale : l'invention des clés* et le nom latin des notes.

L'invention des « clés »

À l'époque de Gui d'Arezzo (XIe siècle), les notes sont représentées par des lettres : A = *la*, B = *si*, C = *do*, etc., et leur lecture n'est pas aisée. Le musicien a l'idée de tracer une ligne et d'affecter une lettre significative au début de celle-ci. Les trois lettres *G*, *F* et *C* sont à l'origine des clés de *sol*, *fa* et *ut*.

Des lettres aux clés

NOM	CLÉ DE *SOL*	CLÉ DE *FA*	CLÉ D'*UT*
Lettre originale placée par Gui d'Arezzo	G	F	C
Dessin qui en a résulté	𝄞	𝄢	𝄡

Le nouveau nom latin des notes

Ayant remarqué que chaque phrase musicale d'une hymne à saint Jean-Baptiste datant du VIIIe siècle commençait sur une note plus haute que la précédente, Gui d'Arezzo décide de donner à chaque note le nom du premier mot de chacune de ces phrases. Ces noms de notes sont toujours utilisés dans les pays de langue latine (sauf l'*ut* qui a été remplacé par *do* à la Renaissance) alors que les Anglo-Saxons ont conservé l'appellation médiévale par lettres. La note *si* provient de la contraction des mots *Sancte Ioannes*.

Des syllabes aux notes

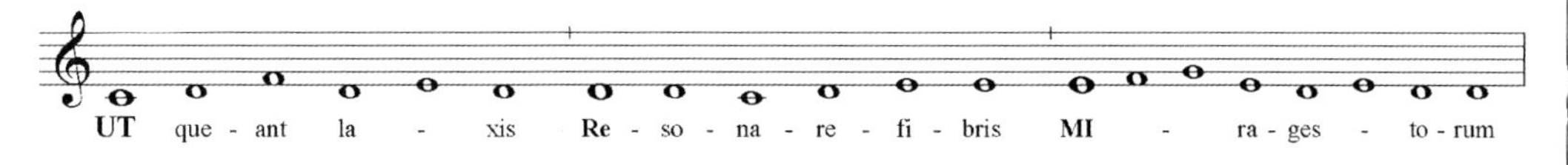

Le *Dies Irae* de Thomas de Celano

• Un peu d'histoire

Ce chant à une voix (monodie) – appelé « séquence* » – existe depuis le XIIIe siècle et est généralement attribué à un moine italien du nom de Thomas de Celano (mort en 1250). Il fut utilisé pendant longtemps dans la messe des morts.

Cette mélodie a connu un grand succès et a été considérée pendant longtemps comme un modèle de chant grégorien alors qu'elle est très postérieure. Quand un « tri » des chants a été opéré au XIVe siècle dans la musique d'Église, il ne fut pas jugé opportun de l'interdire, tant elle était populaire.

• Analyse

Le texte latin de ce chant est constitué de trois groupes de six paragraphes composés de trois vers rimant entre eux et évoque le Jugement dernier. La musique se découpe en trois mélodies* bien différenciées qui ont néanmoins pour caractéristique commune de s'orienter vers le grave.

• Repérage

Mélodie A : ses notes sont inscrites dans un registre plutôt moyen (ni aigu, ni grave) tandis que le texte est récité sans beaucoup d'ornements*.

Mélodie B : elle touche des notes plus aiguës, contient plus de vocalises* et pour finir reprend le début de A.

Mélodie C : le registre est plutôt grave tandis que le texte est bien orné.

• Écoute

<table>
<tr><th>TEXTE</th><th>TRADUCTION</th><th>MÉLODIE</th><th>CHANT</th><th>CARACTÉRISTIQUES</th></tr>
<tr><td>Dies irae, dies illa
Solvet saeculum in favilla
Teste david cum Sibylla</td><td>Jour de colère que ce jour-là
Qui réduira le monde en cendres
Comme l'attestent David et la Sibylle</td><td>A</td><td>hommes</td><td rowspan="2">moyen, peu orné</td></tr>
<tr><td>Quantus tremor est futurus
Quando Judex est venturus
Cuncta stricte discussurus</td><td>Quelle épouvante régnera
Lorsque le juge apparaîtra
Pour tout scruter avec rigueur</td><td>A</td><td>femmes</td></tr>
<tr><td>Tuba mirum spargens sonum
Per sepulcra regionum
Coget omnes ante thronum</td><td>La trompette au son terrifiant
Sonnant l'appel parmi les tombes
Nous poussera tous devant le Roi</td><td>B</td><td>hommes</td><td rowspan="2">aigu, orné</td></tr>
<tr><td>Mors stupebit et natura
Cum resurget creatura
Judicandi responsura</td><td>Mort et nature stupéfiées
Verront surgir la créature
Tenue de répondre à son juge</td><td>B</td><td>femmes</td></tr>
<tr><td>Liber scriptus proferetur
In quo totum continetur
Unde mundus judicetur</td><td>Le livre parachevé sera lu
Où tout se trouve consigné
Pour ouvrir le procès du monde</td><td>C</td><td>hommes</td><td rowspan="2">grave, orné</td></tr>
<tr><td>Judex ergo cum sedebit
Quidquid latet apparebit
Nil inultum remanebit</td><td>Lorsque le juge viendra siéger
Tout ce qui était caché sera révélé
Rien ne restera impuni</td><td>C</td><td>femmes</td></tr>
</table>

Flûte

Rex Coeli - Organum à deux voix

Cette composition du VIIIe siècle d'origine vocale est l'un des premiers exemples de polyphonie*.

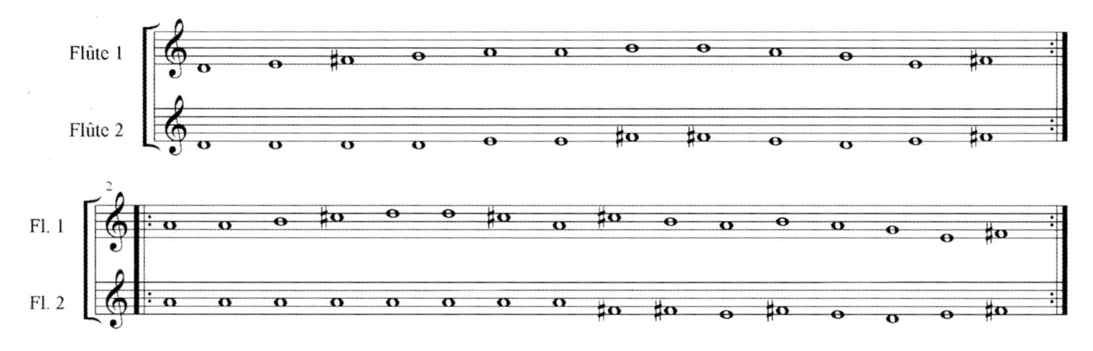

Dies Irae

THOMAS DE CELANO

Le thème de cette séquence* (« Jour de colère » de la messe des morts) du XIIIe siècle sera utilisé jusqu'à nos jours, aussi bien comme mélodie de chansons populaires que comme motif dans des morceaux symphoniques (Hector Berlioz, *Symphonie fantastique*).

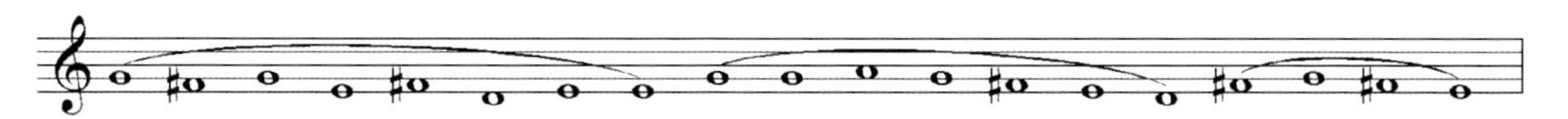

Septième Estampie royale

Cette estampie est une danse française du XIVe siècle où il faut taper des pieds en cadence. Plusieurs danses de ce genre sont conservées à Paris dans un recueil : le *Manuscrit du Roi.*

Le Concert champêtre, Italie, XVIe siècle, Bourges, Musée de l'Hôtel Lallemant, © Bridgeman/Lauros/Giraudon.

Au XVIe siècle, l'Antiquité devient un modèle pour la littérature et les arts : peinture, sculpture et plus tardivement musique. Les genres musicaux rencontrés au XVe siècle, messes*, motets* et chansons, restent toujours employés par les compositeurs et évoluent progressivement. La chanson française est très appréciée à la cour du roi François Ier, ainsi que le madrigal en Italie. Le luth est l'instrument à la mode.

Le quatuor représenté ici se compose d'une épinette, d'un luth, d'une flûte à bec et d'une basse de viole. Les amateurs de musique aimaient à donner ce genre de concert dans leur jardin seigneurial.

La grave crise religieuse qui conduit à la naissance du protestantisme provoque de profonds bouleversements en Allemagne, en Angleterre et en France. Luther invente alors une nouvelle façon de chanter : le choral*.

CHAPITRE 3

La Renaissance (XVIe siècle)

Le temps des inventions

Le XVIe siècle : un renouveau culturel appelé la Renaissance

L'Antiquité grecque et romaine devient au XVIe siècle une source d'inspiration importante, pour les hommes de lettres, les peintres et les sculpteurs d'abord, puis, à leur suite, pour les musiciens. Cet intérêt pour la culture et l'art antiques prend le nom de Renaissance. Dans le domaine musical, il s'agit moins d'un retour à l'antique que d'une liberté plus grande dans la forme et dans l'expression. Les différents genres musicaux issus du Moyen Âge (voir chapitre précédent) se développent et se transforment. La musique polyphonique* atteint son apogée et l'invention de l'imprimerie (due à Gutenberg vers 1455) favorise sa diffusion à travers l'Europe. Ottaviano Petrucci imprime à Venise en 1501 la première partition musicale. À la fin de cette période sont publiés les premiers recueils de musique purement instrumentale.

La Réforme protestante en Allemagne et en Angleterre

Dénonçant les abus de l'Église, Martin Luther (1483-1546) provoque une fracture dans le monde religieux. Cette contestation, connue sous le nom de Réforme, amène la création d'un nouveau culte issu du Catholicisme : le Protestantisme. Pour permettre aux fidèles de chanter facilement à l'office, Luther crée un nouveau répertoire de textes en allemand mis en musique : le **choral***.

Luther, © Hachette-Livre.

L'Angleterre connaît de profonds bouleversements politiques

Le roi Henry VIII adopte les idées défendues par la Réforme en 1534 et devient chef de l'Église anglicane. À sa suite, Édouard VI impose un livre officiel de prières, le *Prayer Book* en langue anglaise, sur l'ensemble du territoire. La reine Marie Tudor (1553-1558) restaure la religion catholique. Élisabeth Ire, favorable à la religion anglicane, nomme dans un esprit d'apaisement deux musiciens catholiques pour la chapelle royale : Thomas Tallis (vers 1505-1585) et William Byrd (1544-1623) (voir biographies, p. 39).

La Réforme protestante en France

Les idées défendues par Luther trouvent des soutiens en France. Jean Calvin, réfugié à Genève, publie en français le *Psautier huguenot* en 1562 contenant près de 150 psaumes*. Il comporte notamment des poèmes de Jean Calvin et Clément Marot mis en musique par Claude Goudimel ou Claude le Jeune.

La musique catholique

À la Renaissance, on continue à écrire des messes* et des motets*, genres musicaux inventés au Moyen Âge (voir p. 24). En France et en Italie, le motet connaît une belle carrière. Pierre Certon, maître* à la Sainte-Chapelle à Paris, en écrit 170 ; Roland de Lassus (voir biographie, p. 34) laisse à la postérité 700 motets !

En Italie, l'œuvre de Palestrina (voir biographie, p. 36) comprend une centaine de messes et 400 motets. Sa polyphonie* cherche à mieux faire comprendre le texte latin. En Espagne son élève Tomás Luis de Victoria se consacre également à l'écriture de la musique religieuse.

Roland de Lassus et la Chapelle musicale du duc de Bavière, miniature du livre de psaumes de Roland de Lassus, exécuté pour le duc de Bavière Albert II vers 1565-1570, Munich, Bayersiche Staatsbibliothek, © AKG Paris.

La chanson française

La chanson française (voir p. 38) est très en vogue à la cour de François Ier. La demande est si forte que l'imprimeur parisien Pierre Attaingnant en publie 8 volumes de 1528 à 1529. Portant sur des sujets profanes très divers, les textes sont signés par les grands poètes de l'époque, comme Clément Marot, et la musique écrite par les compositeurs préférés du roi, Clément Janequin (voir biographie, p. 38) ou Claudin de Sermisy (1495-1562). Protégée par le roi Charles IX, une académie de poésie et de musique ouvre ses portes en 1570. Autour des poètes de la Pléiade, comme Ronsard ou du Bellay, des poètes et artistes brillants se retrouvent chaque dimanche après-midi pour écrire et composer de la musique. En 1552 paraissent *Les Amours* de Pierre de Ronsard (1524-1585), poèmes célèbres dont certains sont mis en musique par Claude Goudimel ou Pierre Certon. Dans ces compositions, la musique est au service de la poésie, le texte doit rester parfaitement compréhensible par l'auditeur.

Musique de Marc-Antoine Muret pour un sonnet des *Amours* de Ronsard, © Hachette-Livre.

Pierre de Ronsard, © Hachette-Livre.

Joachim du Bellay, © Hachette-Livre.

Le madrigal italien

Parallèlement, le **madrigal*** se développe en Italie. Chanté pendant les fêtes données par les princes, il vise à réunir la poésie et la musique. Adriaan Willaert (voir p. 34), maître de chapelle à Saint-Marc de Venise, s'illustre dans ce genre musical. Il forme de nombreux élèves, dont Claudio Monteverdi (voir p. 55) qui sera considéré à l'époque baroque comme le plus grand compositeur de ce genre musical.

Le Concert champêtre : Le chant, Italie, XVIe siècle, Bourges, Musée de l'Hôtel Lallemant, © Bridgeman/Lauros/Giraudon.

Les musiciens franco-flamands

Suivant la voie empruntée par leurs aînés, les compositeurs d'origine flamande actifs à la fin du XVe siècle et au XVIe siècle font carrière loin de chez eux.

La Musique, fresque de la cathédrale Notre-Dame, Le Puy, © Dagli Orti.
Le personnage de droite est sans doute Josquin des Prés.

• Josquin des Prés

Josquin des Prés (vers 1440-1521) était déjà considéré par ses contemporains comme le plus important compositeur de la seconde moitié du XVe siècle. Ses œuvres, qui ont figuré parmi les tout premiers recueils imprimés, ont été rapidement transcrites pour les instruments et ont longtemps servi de modèle. Josquin des Prés est l'auteur de chansons (*Mille Regretz*), de motets* ainsi que d'une vingtaine de messes* (deux sur *L'Homme armé* et une sur *Pange lingua*) qui mêlent harmonieusement science musicale et sens du texte. Il est sans doute le premier grand compositeur de la Renaissance.

• Adriaan Willaert

Adriaan Willaert (vers 1480-1562) étudie à Paris avant d'aller mener une brillante carrière en Italie. Son principal titre de gloire est d'avoir occupé le poste prestigieux de Maître* de Chapelle à Saint-Marc de Venise pendant une trentaine d'années. Ce Flamand est ainsi le véritable fondateur de l'École vénitienne, ayant comme élèves les grands musiciens italiens de la génération suivante. S'il s'illustra dans tous les domaines, on peut néanmoins le considérer comme un des « inventeurs » du **madrigal***.

• Roland de Lassus

Roland de Lassus (1532-1594) achève ce panorama avec une manière de composer qui cherche à illustrer musicalement chaque idée de chaque ligne des textes, aussi bien profanes que sacrés. Outre une science aboutie du **contrepoint***, la souplesse et la virtuosité des mélodies* italiennes ainsi que l'esprit plus « léger » des rythmes de danses se retrouvent intégrés dans ses innombrables compositions (plus de 700 motets, 200 madrigaux, 70 messes et les *Psaumes de la pénitence*).

La musique en Allemagne

La figure centrale de l'époque est celle du réformateur Luther dont l'influence (théologique mais également musicale) se ressentira dans toute l'Europe au cours des siècles suivants.

• Heinrich Isaak

Heinrich Isaak (vers 1450-1517) est un compositeur franco-flamand qui a su mêler dans ses œuvres les influences allemande, française et italienne. S'il séjourne beaucoup en Italie (Florence), il est en relation étroite avec la cour de Bavière. Composant dans tous les genres, ses chansons allemandes avec mélodie au ténor* (*Tenorlied*) constituent une des sources du futur choral* protestant tandis que son *Choralis Constantinus* (compilation d'œuvres liturgiques* diverses destinée à la cathédrale de Constance) nous donne des renseignements précieux sur les pratiques musicales de l'époque.

• Martin Luther

Martin Luther (1483-1546) devient docteur en théologie en 1512 avant d'afficher ses thèses à l'église du château de Wittenberg en 1517. Il entreprend alors de réformer le culte en traduisant notamment la Bible en allemand et en s'occupant de composer des chants simples, compréhensibles et chantables par tous : les chorals*. Il en arrange quelques-uns d'après des mélodies* connues et en écrit lui-même une trentaine d'autres, qui seront repris plus tard par des compositeurs comme Bach.

• Leonard Lechner

Leonard Lechner (vers 1553-1606) est élève de Roland de Lassus avant de voyager en Allemagne du Sud et en Italie et de s'établir quelques années à Nuremberg. Converti au protestantisme, il connaît alors quelques soucis professionnels et change plusieurs fois de poste avant de s'installer à Stuttgart où il finit sa vie. Il est l'auteur de recueils de chansons ainsi que de musique religieuse (*Passion selon saint Jean*).

Gustav Adolph Spangenberg, *Luther en famille*, 1866, Leipzig, Musée des Beaux-Arts, © AKG Paris.

La musique en Italie

En réaction aux critiques formulées par la Réforme, le concile de Trente a redéfini la musique religieuse en ordonnant plus de clarté et de simplicité tout en limitant la virtuosité et la technicité. C'est donc la musique profane* qui profite en priorité des nombreuses innovations de la période.

Giovanni Pierluigi da Palestrina, portrait anonyme, Rome, Musée du Vatican, © AKG Paris.

• Giovanni Pierluigi da Palestrina

Giovanni Pierluigi da Palestrina (1525-1594) fut le principal représentant de l'École romaine, attachée à mettre en pratique les recommandations du Concile. Son style se caractérise par la fusion harmonieuse du contrepoint* et de l'harmonie*, au service d'une expression mélodique contenue et sobre. Sa musique (comprenant entre autres plus de 400 motets* et une centaine de messes*) a servi de modèle jusqu'au XIXe siècle.

• Carlo Gesualdo

Carlo Gesualdo (vers 1560-vers 1614) appartient à la dernière génération de compositeurs de madrigaux*, qui furent très attachés à suivre et à illustrer dans leurs œuvres tous les mots des poèmes qu'ils mettaient en musique. Ils utilisaient toutes les techniques expressives modernes (figuralisme*, chromatismes*, dissonances*, enharmonie*, surprises*, etc.) qui étaient alors proscrites dans la musique sacrée. Il est l'auteur de sept livres de madrigaux à cinq et six voix.

• Andrea Gabrieli

Andrea Gabrieli (vers 1515-1586), puis son neveu **Giovanni Gabrieli** (1555-1612) profitèrent de la présence de deux orgues de tribune (placés l'un en face de l'autre) dans la basilique Saint-Marc de Venise pour développer des effets sonores jusque-là inédits, comme la division des effectifs en deux ou trois groupes répartis en plusieurs endroits du bâtiment, conjuguée avec l'emploi d'instruments différents. Cet esprit concertant (une des caractéristiques de l'époque suivante) fut appliqué tout aussi bien à des œuvres vocales qu'instrumentales (*Canzoni e Sonate* et *Sacrae Symphoniae*).

La musique en Espagne

La musique espagnole est très florissante à la Renaissance. S'engageant complètement dans la Contre-Réforme, les musiciens d'Église produisent des œuvres de très haute tenue tandis que leurs collègues instrumentistes développent différents aspects de la variation* instrumentale.

Orphée jouant de la « vihuela » (sorte de guitare), 1535, Madrid, Bibliothèque nationale, © Oronoz.

• Tomás Luis de Victoria

Tomás Luis de Victoria (1548-1611) suit conjointement des études de théologie et de musique à Rome où il est l'élève de Palestrina. Le nombre de ses œuvres – toutes destinées à la liturgie catholique – n'est pas très important mais leurs qualités font de lui le plus grand compositeur espagnol de musique religieuse de son temps. La vingtaine de messes ainsi que la quarantaine de motets qui lui sont attribués (notamment *O Magnum misterium*) sont des œuvres qui suivent à la lettre les préceptes de la Contre-Réforme : simplicité, expression et utilisation de mélodies issues du plain-chant*.

• Narváez, Cabezón, Ortiz

Luis de Narváez (vers 1500-vers 1550), **Antonio de Cabezón** (vers 1500-1566) et **Diego Ortiz** (vers 1510-vers 1570) se consacrèrent principalement au domaine instrumental en écrivant de nombreuses pièces appartenant au genre de la variation*, sur des mélodies connues ou sur des basses de danses alors à la mode. Le luthiste (joueur de luth) **Narváez** fut le premier à en publier, sous le nom espagnol de **differencias**. **Cabezón** fut un organiste (joueur d'orgue) qui contribua également à ce genre mais qui composa aussi des pièces de facture plus sérieuse, employant le contrepoint : les **tientos**. **Ortiz**, quant à lui, fut violiste (joueur de viole de gambe) et composa des arrangements originaux : au-dessus d'une réduction pour clavier de célèbres chansons à quatre voix, il écrivit des parties indépendantes de viole très proches de celles qu'il devait improviser lui-même sur son instrument.

La musique en France

La musique française de la Renaissance connaît deux grands genres : la **chanson** (à quatre voix sur des textes se prêtant bien à une illustration musicale) et la **musique pour instrument soliste** comme le luth, composée de mouvements de danse ou de variations* sur des mélodies connues (comme des thèmes de chansons).

Concert champêtre avec joueur de flûte et joueuse de tympanon (instrument à cordes frappées), France, vers 1500, Paris, Musée du Louvre, © Dagli Orti.

• Clément Janequin

Clément Janequin (vers 1485-1558) effectue la majeure partie de sa carrière d'ecclésiastique en province (Châtellerault, Bordeaux, Angers) avant de s'installer à Paris en 1549. À son arrivée dans la capitale, il est déjà l'auteur d'une bonne centaine de chansons ainsi que de motets*. Nommé chantre* de la Chapelle du roi en 1555, il ne peut bénéficier longtemps du titre de compositeur du roi, conféré en 1558, car il meurt peu de temps après. Sa grande spécialité est la chanson « parisienne » riche en descriptions comme *La Guerre*, *Le Chant des oiseaux*, *Le Caquet des femmes*, renforcées par l'emploi d'onomatopées bien choisies.

• Claude le Jeune

Claude le Jeune (vers 1530-1560) est le plus important compositeur français de la fin du XVIe siècle. Il travaille fréquemment auprès de princes protestants avant de devenir compositeur attitré du roi Henri IV. Il est – à l'instigation des poètes de la Pléiade – un des musiciens qui cherchent à appliquer les principes de la « musique mesurée à l'antique » visant à retrouver le rythme propre de chaque mot d'un texte et à le traduire fidèlement en musique. Ses nombreuses œuvres de musique vocale comprennent aussi bien des pièces sacrées que profanes.

• Pierre Attaingnant

Pierre Attaingnant (1494-vers 1552) ne fut pas un compositeur mais un très influent éditeur parisien qui imprima près de 150 recueils de musique d'auteurs variés, comprenant souvent des compilations. Parmi eux, il faut noter la présence de recueils purement instrumentaux (des « danceries »).

La musique en Angleterre

Partition de John Dowland, « O christall teares », pour quatre voix et luth, 1597, © British Library/ AKG Paris.

La Renaissance anglaise est principalement marquée par l'alternance des cultes (catholique et anglican) imposée par les monarques qui se succèdent sur le trône et qui affecte profondément la musique religieuse.

• Thomas Tallis

Thomas Tallis (vers 1505-1585) est un maître dans le domaine de la musique sacrée. De par son talent, il a eu la grande chance de pouvoir exercer son art quel que soit le culte alors en vigueur. Une de ses grandes réussites est le motet* latin *Spem in alium*, écrit pour 40 parties vocales différentes réparties en 8 groupes de 5 voix à l'occasion du quarantième anniversaire de la reine Élisabeth Ire d'Angleterre.

• William Byrd

William Byrd (1542-1623) fut également un protégé de la reine et travailla avec Tallis. Au moins aussi influent dans le domaine religieux que son collègue, il surpasse ses compatriotes dans tous les autres, le luth excepté. Pionnier de l'édition musicale en Angleterre, sa musique se retrouve dans un bon nombre de compilations manuscrites ou imprimées. Un de ses chefs-d'œuvre est le recueil de chants de dévotions (pour voix seule avec accompagnement vocal ou de violes) *Psalms, Sonnets and Songs.*

• John Dowland

John Dowland (1563-1626) fut un luthiste très réputé qui a écrit une grande quantité de pièces pour son instrument et pour ensemble instrumental (comme les vingt et une pavanes *Lachrymae*). Il fut également le maître de l'*ayre* anglais, œuvre destinée à une voix soliste, accompagnée au choix par le luth, un ensemble de violes ou bien d'autres chanteurs. L'exemple le plus célèbre est constitué par *Flow my tears*, qui fut repris par de nombreux musiciens tout au long du XVIIe siècle. L'atmosphère de ses œuvres est généralement mélancolique.

Nicholas Haym, *Portrait de William Byrd*, 1719, © AKG Paris.

Les genres musicaux de la Renaissance

Joueuse de luth, bois, XVIe siècle, © Hachette-Livre.

Sans abandonner les grands genres médiévaux, cette époque en invente d'autres, en particulier dans le domaine profane.

• Musique vocale profane

La chanson (française) et le madrigal* (italien) influencent toute la musique vocale profane.

<table>
<tr><th>GENRES</th><th>VOIX</th><th>ACCOMPAGNEMENT</th><th>CARACTÉRISTIQUES</th></tr>
<tr><td>chanson française</td><td>4</td><td rowspan="2">aucun</td><td>joyeuse avec des sujets populaires ou tirés de la nature</td></tr>
<tr><td rowspan="2">madrigal</td><td>4 ou 5</td><td rowspan="2">en italien ou en anglais, avec un souci majeur : l'expression musicale de chaque mot</td></tr>
<tr><td>1</td><td>ensemble instrumental ou luth</td></tr>
</table>

• Musique vocale religieuse

Les genres existants subissent des transformations et se modernisent.

GENRES	VOIX	ACCOMPAGNEMENT	CARACTÉRISTIQUES
choral	4	aucun	Homophone* (simple) ou bien en style de motet* (plus compliqué)
motet, *anthem* (Angleterre)	4 ou plus	parfois	Le texte est découpé en plusieurs parties. Les voix entrent en imitation*
messe	4	aucun	Chaque œuvre est bâtie sur une mélodie religieuse, profane ou bien inventée

• Musique instrumentale

Des genres purement instrumentaux apparaissent. S'ils sont tout d'abord dérivés des formes vocales, ils se mettent progressivement à s'en détacher jusqu'à devenir parfaitement autonomes.

GENRES	MUSICIENS	FORMATION	CARACTÉRISTIQUES
ricercar, *tiento*, fantaisie, prélude	1	instrument seul : luth, clavier (orgue, épinette, virginal)	pièce « sérieuse » en plusieurs parties construite à partir d'une mélodie* initiale
série de variations*			sur des airs à la mode
			sur une basse obstinée*
danses			souvent par paires, la seconde reprenant le début de la mélodie de la première (voir page de flûte p. 43)
canzon da sonar	plusieurs	instruments de la même famille (violes, de flûtes à bec) ou de familles différentes	d'abord transcription puis composition dans le style de la chanson française

David Vinckeboons (1576-1629), *Fête champêtre*, Vienne, Akademie der Bildenden Kuenste, © Erich Lessing/AKG Paris.

La *Volta* de William Byrd

• Un peu d'histoire

Cette pièce de William Byrd (1542-1623) est conservée dans un recueil constitué par un amateur de musique du nom de Francis Tregian fils (environ 1574-1618). La légende affirme qu'il aurait réalisé cette compilation pendant les dix ans qu'il a passés enfermé à la Tour de Londres. Ce recueil, le *Fitzwilliam Virginal Book*, contient 250 pièces majoritairement anglaises, destinées au clavier en vogue à l'époque, le virginal.

• Analyse

La *Volta* est une danse d'origine italienne, rapide, à trois temps, comprenant deux phrases musicales répétées (les reprises sont indiquées par les signes « : » et « || »). Comme elle est en deux parties, on dit qu'elle est de **forme binaire**.

• Interprétation

On peut jouer telle quelle ou chanter cette pièce :

• Écoute

Dans la version du disque compact, cette danse est jouée quatre fois. On peut repérer que ces répétitions ne sont pas strictement identiques.

1re FOIS :

la danse est jouée presque telle qu'elle est notée sur la partition.

2e FOIS :

elle est beaucoup plus ornée, de nombreuses notes secondaires sont ajoutées par le compositeur autour des notes principales.

3e FOIS :

elle est identique à la 1re.

4e FOIS :

elle est identique à la 2e.

Chant

Belle qui tiens ma vie

THOINOT D'ARBEAU

Cette chanson du XVIe siècle a connu un très grand succès à l'époque.

Flûte

Pavane

CLAUDE GERVAISE

Ces deux danses enchaînées du XVIe siècle utilisent les mêmes motifs mélodiques dans des mesures différentes (4 puis 3 temps).

Gaillarde

CLAUDE GERVAISE

Robert de Tournières (1667-1752), *Le Trio de musique de chambre*, Dijon, Musée des Beaux-Arts, © AKG Paris.

Le trio représenté ici est la formation principale de l'époque baroque. Les compositeurs écrivent alors de la musique à la gloire du roi ou de grands personnages du royaume. Un nouveau style se fait jour : la mélodie est désormais accompagnée par **une basse* continue** : les instruments, les voix peuvent dialoguer plus librement ; apparaissent également **de nouvelles formes vocales**, comme l'opéra*, l'oratorio* ou la cantate*, **et de nouvelles formes instrumentales**, comme la suite*, la sonate* ou le *concerto grosso**.

CHAPITRE 4
L'époque baroque (1600-1750)

La musique pour briller

1600-1750

Une nouvelle représentation du monde

La Renaissance voyait en l'homme une créature de Dieu vivant en accord avec la nature qui l'entoure. Le XVIIe siècle ne se représente plus le monde de la même façon. L'homme se définit désormais comme un être sensible, soumis à l'emprise des passions, vivant dans un univers en perpétuel changement. Il cherche à dépasser le modèle proposé par la nature, à recréer un autre monde, à repousser les limites du réel.

Le terme « baroque » (mot d'origine portugaise employé en joaillerie pour

Assomption, sculpture sur marbre, église du Couvent, 1717, Bavière, Allemagne, © Artephot/T. Schneiders.

décrire une perle irrégulière), sert à désigner le courant littéraire et artistique qui se développe alors en Europe et se poursuit jusqu'au milieu du XVIIIe siècle. Ce courant se caractérise par le mouvement, le foisonnement, le goût du faste et des contrastes. Les arts, mis au service de la religion et du pouvoir, ont en effet désormais pour fonction de frapper l'imagination, de faire appel aux émotions, tout en suivant des règles et en se servant de procédés clairement identifiables. L'écriture musicale devient plus rigoureuse et certains traits de composition s'affirment : l'évocation du Ciel se fait sur des notes aiguës, celle de l'Enfer sur des notes graves. La joie est suggérée par un tempo* rapide et des tonalités gaies. À l'inverse, la tristesse se traduit par le mode mineur, le demi-ton chromatique*, qui rappellent la douleur.

Les musiciens sont attachés à la cour ou à l'Église

La noblesse et le haut clergé continuent d'occuper une place prépondérante dans la société, même si, en France, le pouvoir royal s'accroît au détriment de l'aristocratie.

Les compositeurs, serviteurs de la noblesse ou du clergé, écrivent de la musique pour célébrer des événements ou marquer des circonstances particulières. Les compositeurs du roi soumettent leurs créations au monarque qui en est le seul juge. En échange de ce travail, ils reçoivent des salaires, versés sous forme de pensions, dont le montant est fixé en fonction de l'importance de leur « charge » (poste acheté qui se transmet d'un musicien à un autre). En France, le titre le plus élevé est celui de Surintendant de la musique. Celui-ci a la possibilité de faire jouer ses œuvres dans tout le royaume. Lully obtient ce poste en 1672 et a la haute main sur l'ensemble des activités musicales et chorales en France, empêchant ainsi toute concurrence.

Naissance de l'opéra

Le XVIIe siècle est riche en innovations musicales. C'est à Florence, vers 1600, que les chanteurs et compositeurs Jacopo Peri (1561-1633) et Giulio Caccini (1550-1618) inventent un genre musical nouveau : l'**opéra**. Ce genre musical, pièce de théâtre chantée et accompagnée par l'orchestre, s'étend ensuite progressivement à Rome et à Venise, puis à toute l'Italie. Le premier grand compositeur d'opéra est **Monteverdi**. Il utilise les ressources de l'orchestre pour faire comprendre la progression de l'action dramatique et caractériser les personnages. Dans son *Orfeo*, les trombones sont associés à la description des Enfers. L'action de ces premiers opéras évolue grâce à des **récitatifs**, récits chantés qui sont soutenus par une basse continue. La **basse continue**, confiée au **clavecin** et à la **viole de gambe**, est une voix grave qui réalise l'accompagnement harmonique de la voix. Cette façon d'écrire de la musique est la marque de la musique baroque.

La composition de l'orchestre évolue

Les instruments qui composent l'orchestre sont, pour l'essentiel, les mêmes qu'à la Renaissance, mais le luth est progressivement abandonné au profit du **clavecin** et de l'**orgue**, instruments pour lesquels les compositeurs écrivent de nombreuses pièces.

Les cordes frottées de l'époque baroque

	VIOLE	VIOLON
Tailles	5 tailles différentes : pardessus, dessus, taille, basse et contrebasse	4 tailles différentes : violon, alto, violoncelle et contrebasse
Tenue de l'instrument	entre les genoux pour les instruments graves	sur le bras pour les instruments aigus
Tenue de l'archet	la paume de la main vers le haut, le majeur posé sur les crins	la paume de la main vers le bas
Nombre de cordes et accords	6	4
Caractéristiques	épaules tombantes, ouïes en forme de « C », frettes* et tête du chevillier* ornée d'une sculpture de tête de femme ou d'animal.	épaules rondes, ouïes* en forme de « f », pas de frettes* et tête du chevillier* ornée d'une volute.
Sonorité	douce	puissante
Période d'utilisation	fin du XVe-début du XVIIIe siècle	du XVIe siècle à nos jours

Au Moyen Âge, le terme de « viole » désigne n'importe quel instrument à cordes frottées. À la Renaissance, on tente de classer ces instruments en deux groupes : les violes « à bras » (famille du violon) et les violes « de gambe » (tenues entre les genoux). Cette classification s'avère peu efficace puisque la taille des instruments conditionne leur tenue par le musicien.

Violes (à gauche) *et violons* (à droite), Paris, Musée de la Musique, © Photos Albert Giordan/Musée de la Musique, Cité de la Musique.

Ainsi, le violoncelle (famille du violon) se tient entre les genoux et le pardessus de viole (famille des violes) se tient sur le bras !

En France apparaît le ballet de cour

Parallèlement, en France, Louis XIV, le Roi-Soleil, veut montrer la puissance de la royauté. Il fait construire un vaste palais, le château de Versailles, qui devient la résidence de la cour. Le monarque trouve un grand intérêt à organiser à Versailles des fêtes somptueuses animées par de nombreux artistes. C'est pour lui un moyen efficace de rassembler la noblesse à la cour royale et de se l'attacher. L'organisation des

François Chauveau (1613-1676), Décor pour *Atys* de Lully, *Les Menus plaisirs du Roi*, Paris, Musée de la ville de Paris, Musée Carnavalet, © Bridgeman Giraudon.

divertissements royaux suscite la création d'un nouveau genre musical, le **ballet de cour**, mélange de poésie, de danse et de musique. Il se transforme au cours du siècle en **comédie-ballet**. Ce genre théâtral intègre le ballet de cour entre les différentes scènes de la comédie. Les plus célèbres comédies-ballets sont dues à l'association de Molière et de Lully. Parmi celles-ci, *Le Bourgeois gentilhomme* connaît un très grand succès.

La musique religieuse

L'Église est, avec les cours des princes d'Europe, un foyer musical important. Les offices catholiques et protestants contribuent à la diffusion de la musique baroque. **Madrigaux***, **oratorios***, **cantates*** ou **motets*** sont pour la musique vocale de nouveaux moyens d'expression. L'influence des compositeurs italiens se fait sentir dans toute l'Europe. À Rome, Carissimi, l'un des premiers grands maîtres de la cantate profane*, crée l'oratorio. Il compose ainsi de nombreux oratorios en latin, dont les sujets sont, pour la plupart, empruntés à l'Ancien Testament.

La musique instrumentale

La musique instrumentale n'échappe pas à l'influence italienne. Les luthiers Stradivarius et Amati perfectionnent les instruments à cordes à Crémone. De grands musiciens écrivent pour leur instrument de prédilection : Scarlatti écrit 550 sonates* pour clavecin ; l'orgue voit son répertoire s'enrichir en Allemagne grâce à Froberger et Buxtehude ; Vivaldi, violoniste virtuose, renouvelle la musique instrumentale en inventant la forme, promise à une belle carrière, du concerto. Il en écrit lui-même près de 600.

La fin de l'époque baroque est marquée par l'influence de trois compositeurs illustres : Rameau, Haendel et Bach.

Jean-Sébastien Bach (1685-1750)

• Apprentissage (1685-1703)

Issu d'une famille saxonne de religion luthérienne comptant plusieurs générations de musiciens, Jean-Sébastien devient orphelin à l'âge de dix ans. Il est recueilli par un cousin, fait de bonnes études secondaires et apprend sérieusement la musique avec son frère aîné. Grâce à sa belle voix, il réussit à intégrer une chorale réputée à Lüneburg, ce qui lui permet en même temps de parfaire son éducation musicale, notamment dans les domaines de l'orgue et de la composition. Il copie beaucoup de musique, effectue quelques déplacements pour écouter et apprendre, et entre ainsi en contact avec les meilleurs musiciens de l'époque. Le voilà bien préparé à sa future profession de musicien.

Elias Gottlob Haussman (1695-1774), *Portrait de Jean-Sébastien Bach*, 1746, Musée de l'Histoire de la ville, Leipzig, © AKG Paris.

• D'un poste à l'autre (1703-1723)

Pendant une vingtaine d'années, Bach cherche les conditions les meilleures et les patrons les plus compréhensifs afin d'exercer au mieux son art. Mais son caractère bien trempé ainsi que l'idée assez haute qu'il a de lui-même ne facilitent pas toujours les choses et les heurts avec ses autorités de tutelle sont fréquents. Il est organiste à Arnstadt entre 1703 et 1707, puis à Mülhausen entre 1707 et 1708. C'est à cette époque qu'il commence à composer ses premières cantates* sacrées. En 1708, il est engagé à la cour luthérienne de Weimar en tant que musicien, organiste puis chef d'orchestre. Il fournit chaque mois une cantate nouvelle et compose une série de grandes œuvres pour l'orgue, instrument pour lequel il est devenu expert. Bach espère prendre la succession de l'ancien maître de chapelle lors du décès de celui-ci à la fin de 1716, mais on lui préfère un autre musicien ; Jean-Sébastien part alors pour la cour calviniste (donc moins intéressée par la musique religieuse) de Köthen l'année suivante. Pendant plus de six ans, sous l'autorité du prince Léopold, il se consacre principalement à la musique instrumentale profane. Le prince se marie en 1722 avec une femme qui n'aime pas la musique. Bach doit partir et se fait engager en 1723 comme **cantor** (directeur de la musique) à l'église Saint-Thomas de Leipzig.

La Répétition des cantates, anonyme, 1775, Berlin, coll. AKG, © AKG Paris.

• Leipzig (1723 -1750)

Ce poste est prestigieux mais lourd : cours de musique, de latin, direction de la chorale et de l'orchestre, composition d'œuvres, organisation de la musique des cérémonies municipales, de l'Université, etc. En outre, Bach y est bien moins rémunéré qu'auparavant, d'autant plus qu'il a à sa charge une famille déjà nombreuse (marié, veuf et remarié, il a eu vingt enfants dont huit ont survécu et quatre sont devenus de grands musiciens). Bach compose de grandes pages de musique sacrée comme des cantates ou la *Passion selon saint Matthieu* (1729). Toujours en conflit avec les autorités, il essaie sans succès d'obtenir un poste auprès du Prince-Électeur de Saxe (également roi de Pologne). Très pris par ses activités, il n'oublie pourtant pas la musique instrumentale et publie d'importants recueils pour clavecin et pour orgue sous le modeste titre d'*Exercices pour le clavier* (*Klavierübung*). En 1747, il rend visite à son fils Carl Philipp Emanuel à Berlin et impressionne fortement le roi de Prusse Frédéric II. Les dernières années le voient produire des monuments aussi divers que la *Messe en si* ou bien l'*Art de la fugue* (inachevé).

Clavecin, Paris, Musée de la Musique, © Photo Albert Giordan/ Musée de la Musique, Cité de la Musique.

Œuvres essentielles

- *Toccata et fugue* en *ré* pour orgue BWV 565
- *Concertos brandebourgeois*
- *Passion selon saint Jean* et *Passion selon saint Matthieu*
- *Le Clavier bien tempéré* pour clavier (2 recueils de 24 préludes et fugues)
- *Variations Goldberg* pour clavecin à deux claviers
- *L'Art de la fugue* pour 2 claviers ou bien ensemble instrumental à 4 parties

Georg Friedrich Haendel
(1685-1759)

Portrait de Georg Friedrich Haendel, lithographie de Rousseau et Grandjean, © Hachette-Livre.

• Premiers succès

Après des débuts en Allemagne, c'est en Italie que Georg Friedrich Haendel obtient ses premiers succès dans les domaines de la musique religieuse et de l'opéra. Cherchant un poste fixe, il devient le maître de chapelle de l'Électeur Georges de Hanovre. Au cours d'un déplacement en Angleterre, il fait jouer avec un énorme succès son opéra *Rinaldo* mais, rentré en Allemagne, il lui est impossible de faire représenter cette œuvre.

• En Angleterre

Déçu, il décide alors de quitter son pays en abandonnant son poste à Hanovre et de retourner en Angleterre, où les perspectives de carrière lui semblent plus favorables. Par le jeu des successions, c'est précisément son ancien protecteur qui devient roi d'Angleterre sous le nom de George Ier. Après quelques années de succès inégaux pour ses opéras* italiens, il est amené à envisager la composition d'oratorios* en langue anglaise sur des textes tirés de la Bible. *Le Messie* (1742) est un des premiers exemples de ce nouveau genre qui enchaîne des airs virtuoses et des chœurs monumentaux, comme dans le célèbre *Alleluia*. Le succès est immense, amplifié par l'exécution de *Concertos* pour orgue* qu'il joue lui-même pendant les entractes.

• Un Allemand à Londres

Haendel poursuit donc cette voie pendant une quinzaine d'années, rencontrant de façon irrégulière le succès. Il perd définitivement la vue en 1757. Considéré comme un musicien anglais, il est enterré à Westminster. Ses œuvres, par leur style monumental et leur écriture contrapuntique*, ont largement influencé les compositeurs de l'époque classique.

Œuvres essentielles

- *Dixit Dominus*, motet latin pour solistes, chœur et orchestre
- *Water Music* et *Music for the royal fireworks*, suites de pièces pour orchestre
- *Concertos pour orgue*
- *Rinaldo*, *Serse*, opéras en italien
- *Le Messie*, oratorio en anglais

La musique en Allemagne

Le style allemand opère la synthèse des styles italien et français, en prenant çà et là des éléments musicaux appartenant à ces deux cultures et en les juxtaposant. La musique religieuse protestante est largement dominée par le **choral*** qui se retrouve impliqué dans un bon nombre de pièces vocales mais aussi instrumentales (pour l'orgue notamment).

Johannes Voorhout, *Allégorie de l'amitié entre Buxtehude et J. Adam Reinken*, 1674, Hambourg, Museum für hamburgische Geschichte, © AKG, Paris.
La femme joue du luth, un homme joue du clavecin, un autre de la basse de viole.

• Heinrich Schütz

Heinrich Schütz (1585-1672), surnommé *sagittarius* (l'archer), a appris l'essentiel de son métier à Venise, auprès de Giovanni Gabrieli, qui lui enseigna l'orgue et la composition suivant les techniques modernes : basse continue*, figuralisme* et style concertant*. La très grande majorité de son œuvre est consacrée à la musique religieuse protestante.

• Dietrich Buxtehude

Dietrich Buxtehude (vers 1637-1707) fut un compositeur de musique sacrée (cantates) et un organiste de très grande valeur qui influença directement Haendel et Bach, puisque ces deux compositeurs effectuèrent spécialement des déplacements à Lübeck pour aller l'écouter. Le vieux maître cherchant un successeur, aucun des deux ne voulut rester car il fallait alors épouser sa fille (qui était déjà âgée) pour obtenir le poste, comme c'était la coutume !

• Georg Philipp Telemann

Georg Philipp Telemann (1681-1767) est le musicien le plus productif de tous les temps : il a composé plus de 6 000 œuvres dans tous les genres et était considéré à son époque comme le tout premier musicien allemand. Plus que les autres, il a su mêler dans sa musique les différents styles (français, italien, tchèque, savant et populaire).

Œuvres essentielles

- Schütz : *Musikalischen Exequien, Petits Concerts spirituels* pour voix et instruments
- Buxtehude : cantates sacrées et pièces pour orgue
- Telemann : *Musique de table*, trois séries de *Suites, Sonates en solo, en trio* et *Concertos*

La musique en France

Joseph Aved (1702-1766), *Portrait de Rameau jouant du violon*, Dijon, Musée des Beaux-Arts, © AKG Paris.

C'est surtout à partir du règne personnel de Louis XIV (1661-1715) que la musique française s'exporte et se copie ailleurs en Europe. Le style français se caractérise par une ornementation très subtile, une grande attention portée à l'expression ainsi qu'une importance particulière accordée aux passages associés à la danse.

• Jean-Baptiste Lully

Jean-Baptiste Lully (1632-1687) est venu d'Italie très jeune et a poursuivi une étonnante carrière jusqu'au poste de Surintendant de la musique de Louis XIV. Sa grande création a été l'élaboration d'un opéra* typiquement français, la « tragédie lyrique » (*Roland* ou *Acis et Galatée*). Il débute par une ouverture « à la française »* et se poursuit par des interventions solistes entrecoupées de passages de chœurs.

• François Couperin

François Couperin (1668-1733) a été le plus important claveciniste de la période. Il a publié un traité sur son instrument, de la musique de chambre ainsi que quatre recueils de *Pièces de clavecin* regroupées en « ordres ». Il a également été le promoteur du mélange des styles français et italien sous le vocable de « La Réunion des goûts ».

• Jean-Philippe Rameau

Jean-Philippe Rameau (1683-1764), également organiste, claveciniste et théoricien, a attendu d'avoir 50 ans pour devenir très célèbre grâce à un opéra, *Hippolyte et Aricie* (1733), toujours écrit dans le style de Lully (50 ans après la disparition de ce dernier !), mais dont le récitatif* est beaucoup plus proche de l'air, et dont l'écriture de l'orchestre se révèle novatrice par sa richesse, sa variété et son importance dramatique.

Œuvres essentielles

- Lully : *Atys, Armide* (opéras), grands motets
- Couperin : pièces de clavecin, *Leçons de Ténèbres, Apothéose de Lully, Apothéose de Corelli*
- Rameau : *Hippolyte et Aricie, Les Indes galantes* (opéras), pièces de clavecin en concert

La musique en Italie

L'Italie baroque a été pionnière dans bien des domaines musicaux : la basse continue*, l'*aria da capo*, l'opéra et la musique pour soliste, comme le concerto. Le style italien est virtuose, dynamique, plein de fantaisie et très vocal.

Bernardo Strozzi (1588-1664), *portrait de Claudio Monteverdi*, Innsbruck, Landesmuseum Ferdinandeum, © Erich Lessing/AKG Paris.

• Claudio Monteverdi

Claudio Monteverdi (1567-1643) est surtout célèbre pour son opéra *Orfeo* (1607) qui constitue l'un des premiers chefs-d'œuvre de ce genre, créé quelques années auparavant. Le compositeur a également apporté des contributions fondamentales au genre du madrigal* polyphonique* (*Cinquième Livre* de madrigaux à 5 voix) et à ceux de la musique sacrée (*Vêpres de la Vierge*, qui mêlent des techniques d'écriture anciennes et modernes).

• Antonio Vivaldi

Antonio Vivaldi (1678-1741) est un violoniste virtuose dont les œuvres sont connues, imprimées et copiées dans toute l'Europe. Il développe à Venise le genre du concerto de soliste (pour tous les instruments employés à son époque) en composant près de 600 concertos, parmi lesquels on peut citer les célèbres *Quatre Saisons* (pour violon), les *Concertos pour flûte* opus X ou encore le *Concerto pour deux mandolines*. Son style très dynamique le fait immédiatement reconnaître et apprécier de tous encore aujourd'hui.

François Morellon La Cave, *Portrait d'Antonio Vivaldi*, vers 1723, Bologne, Museo Bibliografico musicale, © Nimatallah/AKG Paris.

• Domenico Scarlatti

Domenico Scarlatti (1685-1757) vit d'abord en Italie, où il compose des opéras et de la musique d'Église, avant d'obtenir un poste de maître de clavecin en Espagne. Pour la cour de Lisbonne, il écrit 555 pièces très originales et modernes pour cet instrument. Elles sont toutes construites en deux parties, courtes mais difficiles, et portent le nom d'*Exercices* (on les appelle aujourd'hui *Sonates**).

Œuvres essentielles

- Monteverdi : *Orfeo* (opéra), *Madrigaux*, *Vêpres de la Vierge* (musique religieuse)
- Vivaldi : *Les Quatre saisons*, concertos divers, *Gloria*
- Scarlatti : *Sonates* pour clavecin

Les genres musicaux de l'époque baroque

• Musique vocale profane

L'**opéra** est l'invention majeure de l'époque baroque. Il s'agit d'une pièce de théâtre chantée par des solistes et par des chœurs avec accompagnement d'orchestre. Mis à part l'**ouverture** orchestrale initiale et les passages chantés par des chœurs, les solistes s'expriment de deux manières : le **récitatif**, dont le texte est chanté à un débit rapide avec accompagnement de la **basse* continue**, fait avancer l'action ; l'**air** contient très peu de mots et est le lieu des prouesses musicales.

GENRES	VOIX	ACCOMPAGNEMENT	CARACTÉRISTIQUES
air, *aria da capo*	1	basse continue ou ensemble ou orchestre	3 parties : A – B – A
cantate	1 ou plus	*idem*	dans la langue du compositeur, airs reliés par des récitatifs
Opera seria (tragédie lyrique)	solistes + chœurs	orchestre	en italien ou en français, sujets mythologiques ou historiques

• Musique vocale religieuse

GENRES		VOIX	ACCOMPAGNEMENT	CARACTÉRISTIQUES
motet	petit	1, 2	basse continue ou ensemble	court
	grand	solistes + chœurs	orchestre	long, plusieurs morceaux
cantate		soliste(s) + chœurs	*idem*	plusieurs airs reliés par des récitatifs
oratorio		solistes + chœurs	*idem*	dans la langue du compositeur, long

• Musique instrumentale

Les deux principaux genres sont le concerto et la sonate.

GENRES	MUSICIENS	ACCOMPAGNEMENT	CARACTÉRISTIQUES
prélude, toccata, fugue, variations, etc.	1	instrument polyphonique* (clavier ou luth)	pièces isolées ou jouées par deux, par exemple, toccata et fugue
sonate ou solo	3	1 instrument mélodique* + basse continue	3 à 5 mouvements
sonate en trio	4	2 instruments mélodiques + basse continue	*idem*
suite (de danses) ou *partita*	nombre variable	du soliste à l'orchestre	1 ouverture + danses diverses
concerto	nombre important	1 soliste + orchestre	3 mouvements : vif – lent – vif
concerto grosso	*idem*	2 à 4 solistes + orchestre	*idem*

La *Fugue en la mineur* BWV 895 de Jean-Sébastien Bach

Un peu d'histoire

Cette œuvre pédagogique est destinée à être jouée sur un clavier comme un clavecin ou un clavicorde (instrument domestique composé d'un clavier et de cordes frappées par des lamelles métalliques). Comme les fils de Jean-Sébastien Bach le faisaient de leur temps sur leur instrument, les apprentis pianistes actuels jouent toujours fréquemment cette pièce. Ce morceau est précédé d'un prélude à l'allure beaucoup moins sérieuse que la fugue*.

Structure

La fugue est construite d'après un thème principal qui est tout d'abord énoncé seul, le **sujet** (encadré en plein).

Ce sujet se voit ensuite légèrement transformé et joué à partir d'une autre note, c'est la **réponse** (encadrée en pointillés).

Pendant que la réponse est jouée, la partie ayant exécuté le sujet continue et fait entendre le **contre-sujet** (marqué par une accolade). Ce contre-sujet a la particularité de pouvoir être joué au-dessus ou bien au-dessous du sujet qu'il accompagne. C'est d'ailleurs dans cet ordre qu'il apparaît.

Écoute

Le morceau continue. On peut s'efforcer de retrouver toutes les occurrences du sujet et de ses dérivés.

Voici la partition des six premières mesures :

> CD, EXTRAIT N° 5

Le *Concerto brandebourgeois n° 2* (3e mouvement) de J.-S. Bach

UN PEU D'HISTOIRE

Les six *Concertos* brandebourgeois*, écrits entre 1718 et 1721 sous le titre français *Concerts avec plusieurs instruments*, sont tous destinés à des formations différentes. Bach les a rassemblés et envoyés au Margrave de Brandebourg avec une belle dédicace en français afin d'obtenir un poste à Berlin. Il n'y eut aucune suite à son envoi car on pense que ces œuvres étaient trop difficiles à jouer pour l'orchestre du prince et que ce dernier n'a donc pas pu apprécier leur grande qualité.

ÉCOUTE

Dans le 2e mouvement, quatre instruments solistes se partagent la vedette. La fin du concerto est une **fugue***.

1) Sur une feuille à part, donnez le nom des quatre instruments solistes que vous entendez.

2) Donnez le tempo ainsi que la nuance du morceau.

Voici le thème de la fugue (**sujet**) joué au premier instrument ; repérez-le :

ANALYSE

Reproduisez le tableau ci-dessous, écrivez le nom des quatre instruments solistes puis marquez d'une croix (X) chaque entrée du sujet, en suivant l'exemple donné pour le premier d'entre eux. Bach a également confié deux fois ce thème aux cordes graves ; pour le repérer, essayez de faire abstraction des autres instruments.

NOM DES INSTRUMENTS	ENTRÉES DU THÈME											
	X											
Cordes graves												

Flûte

Passion selon saint Matthieu, *choral « O Haupt »*

JEAN-SÉBASTIEN BACH

Un choral est un chant religieux protestant entonné par toute l'assemblée durant les offices.

Les Quatre Saisons, *« L'automne »*

ANTONIO VIVALDI

Il s'agit du début du premier mouvement du troisième concerto* pour violon de ce cycle très connu.

Te Deum, *ouverture*

MARC-ANTOINE CHARPENTIER

Un *Te Deum* est une imposante pièce de musique religieuse qui servait généralement à remercier Dieu pour une action bénéfique (victoire sur les ennemis, guérison du roi, etc.).

Michel Barthélemy Ollivier, *Le Thé à l'anglaise dans le salon des quatre glaces au Temple, avec toute la cour du prince de Conti, écoutant le jeune Mozart*, 1766-1777, Paris, Musée du Louvre,

À l'époque classique (1750-1795), la musique est encore un privilège aristocratique réservé à une élite. Les musiciens, serviteurs des grands personnages du royaume, ont besoin pour vivre de leur protection, mais le pouvoir grandissant de la bourgeoisie leur permet d'acquérir peu à peu plus d'indépendance.

CHAPITRE 5
L'époque classique (1750-1800)

La musique classique

La musique classique : équilibre et clarté

On parle couramment de **musique classique** pour désigner la musique dite « savante », par opposition à la musique « populaire » : jazz, rock ou autre. Du point de vue de l'histoire de la musique, le terme *classique* désigne essentiellement **la manière d'écrire de la musique** dans la seconde moitié du XVIIIe siècle. Avec la disparition de Jean-Sébastien Bach en 1750 s'achève en effet la période musicale appelée baroque (voir chapitre précédent). Dès lors, les compositeurs, cherchant à plaire et à séduire le public, privilégient le **naturel** et la **simplicité**. Peu à peu, l'écriture musicale se transforme pour devenir, comme le dit Jean-Jacques Rousseau en 1768, « l'art de combiner les sons d'une manière agréable à l'oreille ». C'est par l'équilibre de la composition, la clarté et l'élégance de la phrase musicale et la netteté

Johann de la Croce (1736-1819), *Portrait de la famille Mozart*, Salzbourg, Musée Mozart, © Bridgeman Giraudon.

des différentes couleurs instrumentales que la musique classique s'exprime désormais.

Deux grands compositeurs viennois marquent cette époque et donnent au style classique sa plus belle expression : Joseph Haydn (1732-1809) et Wolfgang Amadeus Mozart (1756-1791).

Cette nouvelle liberté dans la composition est le reflet d'une époque en mouvement.

Planche de l'*Encyclopédie* : atelier de fabrication d'instruments de musique, 1772, coll. privée, © Bridgeman Giraudon.

Un nouveau souffle de liberté traverse l'Europe

À partir de la seconde moitié du XVIIIe siècle et grâce aux progrès de l'imprimerie, qui facilitent l'impression des livres et des journaux, les idées nouvelles se répandent dans toute l'Europe. En France, la liberté de penser et de s'exprimer, le souci de la dignité humaine sont au centre des préoccupations de Voltaire, Diderot, d'Alembert et Rousseau. Ce sont ces nouveaux idéaux qui inspirent les auteurs de l'*Encyclopédie*, ouvrage monumental visant à traiter de l'ensemble des connaissances de son temps. Les articles ayant trait à la musique sont confiés à Jean-Jacques Rousseau.

La diffusion de ces idées nouvelles provoque une profonde remise en cause de l'ensemble de la société et aboutit, en France, à l'abolition des privilèges aristocratiques et à la Révolution de 1789. La musique se met au service de la Révolution : jouée en plein air, elle donne de l'éclat aux grandes célébrations patriotiques ; on compose des chansons populaires comme *La Marseillaise*. En 1795, le Conservatoire de musique est créé. À l'origine, cet établissement est destiné à la formation d'une nouvelle génération de musiciens susceptibles de jouer au cours des fêtes révolutionnaires et des défilés militaires.

L'ÉVOLUTION MUSICALE

• De nouveaux lieux de concerts et de nouveaux instruments

Le monde artistique n'est pas insensible à l'évolution de la société. Sous l'impulsion d'une riche bourgeoisie de plus en plus présente dans la vie politique et artistique, on voit s'ouvrir de nouveaux lieux de spectacle destinés à un plus large public. Ainsi l'Opéra-Comique, créé dans le quartier Saint-Germain à Paris, met en scène des pièces tirées du répertoire populaire. Alors que le concerto* et l'opéra* continuent à rencontrer un vif intérêt, de nouveaux genres musicaux, comme la **symphonie***, la **sonate* pour clavier** ou le **quatuor à cordes** apparaissent.

Le progrès technique amène avec lui des instruments nouveaux. Le clavecin est en effet remplacé par le *piano forte* (prononcer *piano forté*). Pour ce nouvel instrument, qui permet de jouer plus ou moins fort, les compositeurs écrivent des sonates où apparaissent désormais des **nuances**. Les orchestres accueillent de manière plus régulière des instruments à vent comme la **clarinette**, nouvellement mise au point.

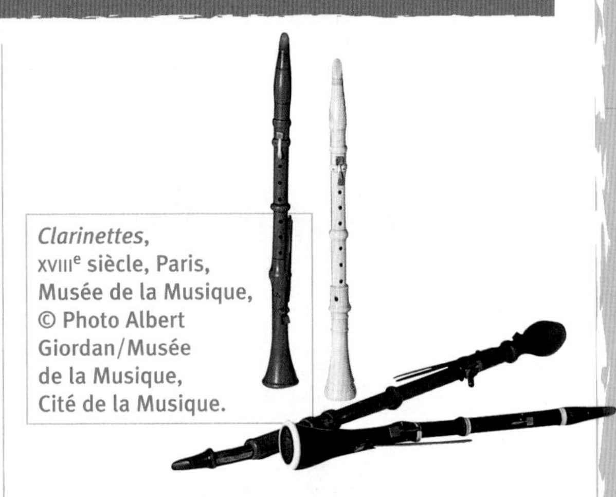

Clarinettes, XVIIIe siècle, Paris, Musée de la Musique, © Photo Albert Giordan/Musée de la Musique, Cité de la Musique.

Piano forte, XVIIIe siècle, Paris, Musée de la Musique, © Photo Albert Giordan/Musée de la Musique, Cité de la Musique.

• Vienne, centre de la vie musicale

Vienne devient, à partir de 1780, la capitale musicale la plus en vue et un lieu très prisé pour les rencontres artistiques. C'est dans cette ville que le style classique trouve, notamment avec **Haydn** et **Mozart** (voir pp. 68 et 70), ses lettres de noblesse.

Dans leurs compositions de caractère gai et enjoué, la mélodie prend toute sa place et la basse continue* disparaît petit à petit.

Un autre compositeur allemand, Beethoven (voir biographie, p. 86), assure la transition entre la fin de la période classique et le courant musical qui lui succède : **le romantisme**.

Les fils de Jean-Sébastien Bach

Bach et trois de ses fils, dont les deux aînés, Wilhelm Friedemann et Carl Philipp Emanuel, peinture attribuée à B. Denner, 1730, coll. part., © B. P. K., Berlin.

Jean-Sébastien Bach a eu vingt enfants, parmi lesquels quatre compositeurs qui ont compté dans l'élaboration du style classique. Leur principale difficulté a été de se faire un prénom (puisque le nom de Bach était porté par de très nombreux musiciens, cousins de la branche de Jean-Sébastien) et de trouver leur style propre en s'affranchissant du lourd héritage paternel.

• Wilhelm Friedemann Bach

Wilhelm Friedemann Bach (1710-1784) a la chance d'être l'aîné des fils Bach, ce qui lui permet d'être l'objet de la plus grande attention de la part de son père. C'est pour lui que Jean-Sébastien écrit de très nombreuses pièces pédagogiques pour le clavier comme les *Inventions* et les *Symphonies*. Il est reconnu de son temps comme un extraordinaire joueur de clavecin et d'orgue mais, pour de multiples raisons, il ne reste jamais très longtemps au même endroit. C'est ainsi qu'il devient musicien « indépendant » à partir de 1764, tâchant de subsister en donnant des leçons et des concerts. Musicien très original, il est parmi les premiers compositeurs à employer la forme sonate (voir p. 74). Il est l'auteur de pièces pour clavier, de concertos* ainsi que de quelques symphonies*.

• Carl Philipp Emanuel Bach

Carl Philipp Emanuel Bach (1714-1788) est l'élève de son père avant de suivre des études de droit pour se retrouver au service du prince héritier de Prusse, le futur roi Frédéric II (également flûtiste et compositeur), dont il est l'accompagnateur privilégié dans son palais de Postdam. À la mort de son parrain Georg Philipp Telemann, il prend le poste de responsable de la musique à Hambourg où il fait jouer tout aussi bien ses propres œuvres que celles de son père ou de Haendel. Sa carrière est parfaitement réussie : non seulement il est riche et célèbre, mais sa musique est imprimée et largement diffusée. Cherchant toujours à émouvoir l'auditeur, il est l'auteur de deux cents sonates pour clavier, d'une cinquantaine de concertos pour clavier ainsi que d'une vingtaine de symphonies, sans compter ses *lieder* et ses oratorios*. Il laisse l'ouvrage de référence pour l'interprétation de la musique du milieu du XVIIIe siècle : *Essai sur la véritable manière de jouer du clavier.*

• Johann Christoph Friedrich Bach

Johann Christoph Friedrich Bach (1732-1795) mène une carrière étonnamment stable puisqu'il reste quarante-cinq ans au même endroit, à Bückeburg, au service de la famille Schaumburg-Lippe dont les membres apprécient son travail. Il est l'auteur de nombreuses pièces de musique instrumentale et orchestrale ainsi que de cantates* et d'oratorios. La musique de ses opéras* a été perdue. On le surnomme le « Bach de Bückeburg ».

• Johann Christian Bach

Johann Christian (Jean-Chrétien) Bach (1735-1782) se démarque très nettement de ses frères aînés. Il voyage en Italie, écrit des opéras (genre inédit chez les Bach !) et se convertit au catholicisme (scandale dans la famille !) pour pouvoir devenir organiste à la cathédrale de Milan. Il constitue un jalon important dans la constitution du style classique car il laisse une trentaine de concertos* pour clavier ainsi qu'une centaine de symphonies. Il est très apprécié du jeune Mozart qui apprend beaucoup avec ses œuvres. On le surnomme le « Bach de Milan et de Londres ».

Œuvres essentielles

- Wilhelm Friedmann Bach : *Concerto pour 2 claviers*, *Symphonies*
- Carl Philipp Emanuel Bach : *Sonates prussiennes et wurtembourgeoises*, *Symphonies avec 12 parties obligées*, *Die Israeliten in der Wüste* (*Les Israélites dans le désert*), oratorio
- Johann Christoph Friedrich Bach : *Symphonie en si bémol*, *Die Aufeweckung Lazarus* (*La Résurrection de Lazare*), oratorio
- Johann Christian Bach : *Concerto pour clavier*, opus 1 (finale sur l'hymne anglais *God save the King*)

Représentation de l'opéra de Gluck, *Il Parnaso confuso*, peinture de Creipel, Kunsthistorisches Museum, Vienne, © AKG Paris.

Christoph Willibald Gluck (1714-1787)

Portrait de Gluck, miniature anonyme, Paris, Musée des Arts décoratifs, © Photo Jahan Darbois/Hachette-Livre.

Ce compositeur d'opéras* autrichien sillonne toute l'Europe pendant des années pour faire représenter ses œuvres, mais connaît quelques longues périodes de stabilité à Vienne et à Paris où le succès lui permet de s'installer. Voulant rompre avec les incohérences de l'époque baroque concernant la dramaturgie, il réforme le genre de l'opéra à l'aide de l'écrivain italien Calzabigi qui lui fournit des livrets correspondant à ses attentes. Gluck recentre l'action en se débarrassant des intrigues secondaires, supprime le récitatif* « sec » (accompagné par le clavecin) et accorde une grande place aux chœurs ainsi qu'aux ballets, qui sont désormais employés comme éléments dramatiques et non plus seulement décoratifs. Musicalement parlant, l'ouverture n'est plus un morceau isolé et interchangeable, mais a un lien direct avec ce qui suit. Gluck prône en effet plus de « simplicité, de vérité et de naturel ». Certains opéras de Gluck existent dans deux versions : une en italien et une seconde en français – destinée au public parisien – qui bénéficie de quelques retouches musicales.

Œuvres essentielles

- *Orfeo ed Euridice*, opéra en italien dont il a réalisé plus tard une version française : *Orphée et Eurydice*
- *Alceste*, opéra en italien puis en français
- *Iphigénie en Aulide*, opéra en français
- *Iphigénie en Tauride*, opéra en français

Joseph Haydn
(1732-1809)

Thomas Hardy, *Portrait de Joseph Haydn*, 1791, Londres, Royal College of Music, © AKG Paris.

• Les débuts (1732-1761)

Joseph Haydn est né en Basse-Autriche, à Rohrau, près de la frontière hongroise. Possédant une belle voix, il est remarqué et engagé à l'âge de huit ans par le maître de chapelle de la cathédrale Saint-Étienne de Vienne, qui recrute alors des jeunes garçons pour sa chorale. Il y reste une dizaine d'années, chantant beaucoup et apprenant « sur le tas » les rudiments du métier de musicien. À dix-huit ans, sa voix ayant mué, il est renvoyé et doit alors exercer plusieurs métiers (musicien, professeur, domestique), tout en complétant seul sa formation musicale par l'étude des œuvres (traités et compositions) des grands musiciens. Entre 1751 et 1761, il obtient des engagements ponctuels auprès de divers membres de la noblesse, commençant à se faire connaître et apprécier pour ses premières compositions.

• À Esterháza (1761-1790)

En 1761, le prince Paul Esterházy, qui aime résider dans son château d'Eisenstadt, l'engage. Il nomme Haydn maître* de chapelle et lui confie la direction de l'ensemble de l'activité musicale. De cette époque datent les premiers chefs-d'œuvre que sont les *Symphonies* n° 6, 7 et 8* : *Le Matin*, *Le Midi* et *Le Soir*. L'année suivante, Paul disparaît et son frère Nicolas lui succède. Haydn reste à son service pendant vingt-huit ans, tant les conditions matérielles et artistiques sont favorables. Le nouveau prince se fait construire une autre résidence, Esterhaza, dans laquelle sa cour s'installe définitivement en 1769. En tant que responsable de la musique, Haydn doit composer les œuvres musicales, recruter les musiciens, faire répéter l'orchestre, assurer les représentations et servir d'intermédiaire entre l'orchestre et le prince. En outre, ce dernier jouant du baryton (sorte de viole de gambe munie de cordes sympathiques), Haydn compose régulièrement pour lui. Pendant cette période, Haydn ne quitte pour ainsi dire jamais le palais isolé du prince. Il compose ainsi une centaine de symphonies, une soixantaine de sonates* pour piano, une bonne partie de ses quatuors à cordes, des concertos*, de la musique sacrée et des opéras*.

Balthasar Wigand (1771-1846), *Représentation de l'oratorio de Haydn,* La Création, *à Vienne, en mars 1808,*

• Succès londoniens (1790-1795)

À la mort de Nicolas, son fils, Paul Anton, met Haydn à la retraite et lui accorde une pension. Le musicien s'installe alors à Vienne. Sa renommée internationale est immense ; des propositions de concerts ainsi que des demandes de compositions affluent de tous côtés. Les plus intéressantes viennent d'Angleterre. Pour la première fois, Haydn quitte alors son pays pour aller séjourner à Londres. Il y fait jouer avec grand succès les six premières *Symphonies londoniennes* (n° 93 à 98), est reçu par la famille royale et se voit même décerner par l'université d'Oxford le titre de docteur *honoris causa.* À son retour à Vienne, en juillet 1792, il met en chantier les six dernières *Symphonies londoniennes* (n° 99 à 104).

• Retour à Vienne (1795-1809)

En 1795, Haydn reprend ses fonctions auprès d'un autre membre de la famille Esterházy, qui ne lui demande guère plus d'une messe chaque année. Le compositeur écrit alors une série de grandes œuvres parmi lesquelles on trouve les deux plus grands oratorios* de la période classique : *La Création* (1798) et *Les Saisons* (1801).

Lors de sa disparition, la communauté musicale internationale lui rend un vibrant hommage, le saluant comme le plus grand musicien de son temps.

Œuvres essentielles

- Sonates pour piano
- Quatuors à cordes
- *Symphonies n° 6, 7 et 8* : *Le Matin, Le Midi* et *Le Soir*
- *Symphonies londoniennes n° 93 à 104*
- *La Création* et *Les Saisons*, oratorios en allemand

Wolfgang Amadeus Mozart (1756-1791)

Mozart à l'âge de sept ans, portant l'habit de cour que lui avait donné l'impératrice Marie-Thérèse d'Autriche, avec l'épée au côté, © Hachette-Livre.

• Enfance et voyages (1756-1772)

Leopold Mozart, violoniste de l'orchestre du prince-archevêque de Salzbourg, remarque très tôt les dons musicaux de son fils Wolfgang Amadeus et lui donne ses premières leçons alors qu'il n'a que quatre ans. Deux ans plus tard, le père emmène le garçon et sa sœur aînée dans une série de concerts à travers toute l'Europe, en passant par Paris – cinq mois en 1763 – et Londres – seize mois en 1764-1765 – avant de retourner à Salzbourg en 1767. À chaque exhibition des deux jeunes prodiges, Leopold s'efforce d'attirer les notables et les puissants (notamment Louis XVI à Versailles), dont il espère retirer des avantages financiers. Wolfgang en profite pour étudier et assimiler le style des plus grands musiciens qu'il rencontre, comme Jean-Chrétien Bach (un des fils de Jean-Sébastien) à Londres. Après une année de repos à Salzbourg (1769), les Mozart repartent en Italie pour trois séjours dans toutes les villes musicales importantes, tant par leurs musiciens que par leurs institutions artistiques, politiques ou religieuses.

• Adolescence et rébellion (1773-1781)

Le nouveau protecteur de Mozart, l'archevêque Colloredo, n'est pas aussi accommodant que son prédécesseur, dans la mesure où il tient à ce que le musicien reste à sa disposition à Salzbourg. Rapidement, des conflits éclatent entre les deux hommes, souvent résolus par le père qui sert d'intermédiaire entre le prince irrité et son bouillant fils. Dans un premier temps, Wolfgang se soumet et reste en Autriche de 1773 à 1777, composant des œuvres importantes dans tous les genres : opéras*, symphonies*, concertos* pour piano, musique de chambre, etc. Durant l'été 1777, Colloredo accepte enfin la démission de Mozart – Leopold restant en poste à Salzbourg – et Wolfgang repart en déplacement à Munich, Mannheim (1777-1778) puis Paris, où il compose notamment le *Concerto pour flûte et harpe* et deux des *Sonates* pour piano* (la *Marche turque* conclut l'une d'elles).

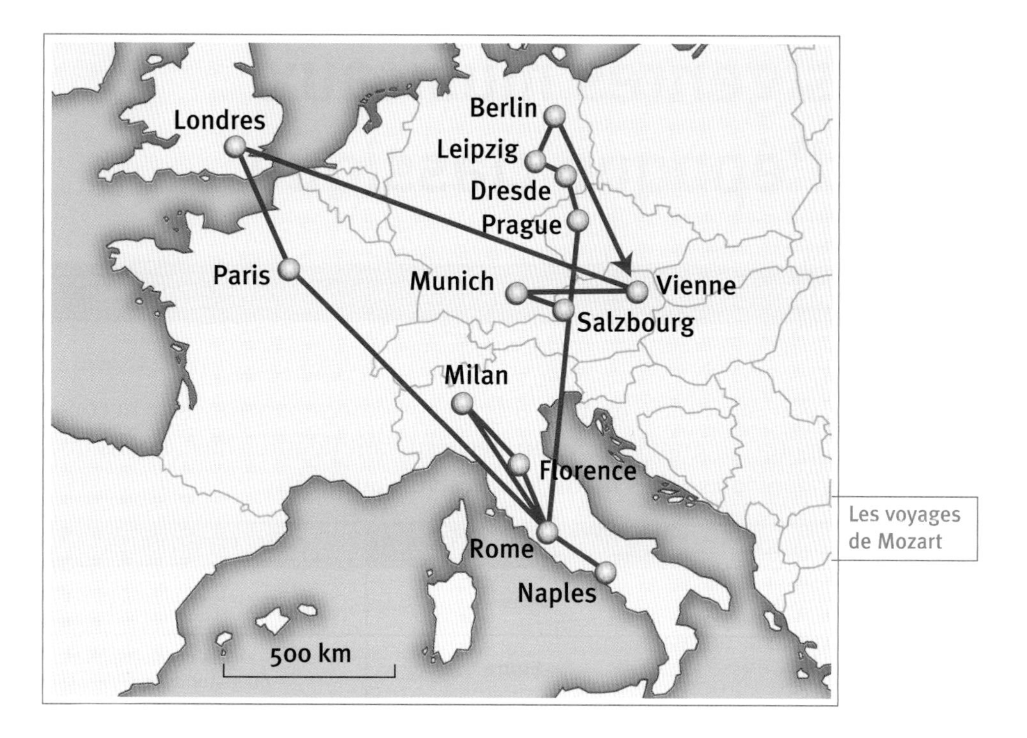

Les voyages de Mozart

Au début de 1779, Wolfgang est repris à Salzbourg comme organiste mais il supporte de moins en moins les contraintes de son service, qu'il quitte définitivement en 1781 pour s'installer à Vienne en tant que musicien indépendant.

• Maturité et indépendance (1781-1791)

Désormais sans protecteur, Mozart, chose nouvelle pour un musicien de l'époque, doit subvenir lui-même à ses besoins. Il organise donc des concerts payants, qui le mettent en vedette au *piano forte*, et répond à diverses commandes d'opéras. Cette façon de travailler lui réussit pendant quelques années, qui sont heureuses. Il se marie en 1782 avec la cantatrice Constance Weber pour laquelle il compose de nombreux airs. À partir de 1788, l'engouement de ses contemporains pour son travail diminue et Mozart connaît d'énormes difficultés financières. Pendant trois ans, son existence est aussi pénible que ses compositions sont extraordinaires. En 1791, un de ses amis lui commande un opéra féerique en allemand, *La Flûte enchantée*, qui remporte rapidement un énorme succès. Mais Mozart ne profitera pas de ce regain d'estime car il meurt de maladie le 5 décembre de cette même année, ne pouvant achever sa dernière œuvre, le *Requiem**, terminé par son élève Süssmayr.

Œuvres essentielles

- *Sonates pour piano en la mineur et en la majeur* (avec le rondo « Alla turca », la *Marche turque*)
- *Une petite musique de nuit*, sérénade pour cordes
- *Symphonies n° 25, 40 et 41* (« Jupiter »)
- Concertos pour piano
- *Les Noces de Figaro, Don Giovanni* et *Cosi fan tutte*, opéras en italien
- *La Flûte enchantée*, opéra en allemand
- *Requiem* (inachevé)

Les genres musicaux de l'époque classique

La musique vocale

• Musique profane

La musique profane voit apparaître un type de composition pour voix seule accompagnée au piano qui connaîtra un grand succès au siècle suivant (le futur *lied*), tandis que l'opéra* se rapproche des comédies telles qu'on peut les voir au théâtre.

GENRES		VOIX	ACCOMPAGNEMENT	CARACTÉRISTIQUES
air, *aria*, *song*, *lied*, romance		1	piano	poème mis en musique
opéra	*seria*	solistes + chœurs	orchestre	en italien, sujets mythologiques ou historiques
	buffa		*idem*	en italien, sujets de comédie contemporains
	comique (France), *Singspiel* (Allemagne)		*idem*	dans la langue du pays, intrigues simples, dialogues parlés

• Musique religieuse

La musique religieuse ne conserve que deux grands genres, la messe et l'oratorio. Le style en est souvent proche de ce que l'on entend à l'opéra.

GENRES		VOIX	ACCOMPAGNEMENT	CARACTÉRISTIQUES
messe	brève	4 solistes + chœurs	ensemble instrumental	courte durée
	solennelle		orchestre	longue durée
oratorio	italien	solistes	*idem*	sur un sujet religieux ou lié à la nature
	allemand	solistes + chœurs		

La musique instrumentale

• La musique de chambre

La musique de chambre connaît un développement extraordinaire grâce aux progrès réalisés dans les domaines de la facture du piano, de l'édition musicale et de la pratique amateur.

Quatuor à cordes, école autrichienne, XVIIIe siècle, Prague, Musée Mozart, © Bridgeman Giraudon.

GENRES	MUSICIENS	COMPOSITION
sonate pour piano	1	piano
sonate pour violon et piano	2	piano + violon
trio à cordes [avec piano]	3	violon + alto [piano] + violoncelle
quatuor à cordes [avec piano]	4	2 violons [violon et piano] + alto + violoncelle
quintette à cordes	5	2 violons + 1/2 alto(s) + 1/2 violoncelle(s)
quintette avec piano		2 violons + alto + violoncelle + piano

• La musique d'orchestre

La musique d'orchestre intègre de nouveaux instruments (des bois et des cuivres), ce qui permet à l'orchestre de devenir un outil musical très expressif. Un nouveau genre lui est dédié : la symphonie.

GENRES	SOLISTES	CARACTÉRISTIQUES
symphonie	non	4 mouvements
concerto	1 ou 2 (piano, violon, etc.)	3 mouvements
symphonie concertante	2 à 4 instruments	4 mouvements

> CD, EXTRAIT N° 6

L'*andante* de la *Symphonie n° 94*, *La Surprise*, de Joseph Haydn

UN PEU D'HISTOIRE

Cette symphonie* fait partie des douze *Symphonies londoniennes* (n° 93 à 104) composées par Joseph Haydn entre 1791 et 1795. Si le manuscrit est daté de 1791, cette symphonie ne fut représentée qu'en mars 1792. Son surnom provient du formidable accord* joué *fortissimo* par tout l'orchestre à un moment où l'on ne s'y attend pas dans le deuxième mouvement, *andante* (terme signifiant : « allant »). On a prétendu que cet accord était destiné à réveiller les dames assoupies en les faisant surssauter.

ÉCOUTE DU THÈME

Ce mouvement comprend un thème, composé de deux parties, suivi de quatre variations et d'une *coda* (fin). Chaque variation s'efforce de présenter et d'embellir le thème de manière différente.

La première partie du thème avec la « surprise » (marquée *FF*) :

La seconde partie du thème :

ANALYSE DU MOUVEMENT

PARTIES	INSTRUMENTS PRINCIPAUX	NUANCES	À REMARQUER
Thème	cordes	*piano* puis *pianissimo* (brusque *fortissimo*)	la « surprise »
Variation 1	cordes et vents	*idem*	contre-chant dans l'aigu
Variation 2	tout l'orchestre	*forte*	atmosphère plus dramatique et pesante
Variation 3	hautbois et flûte	*piano*	aucun instrument grave
Variation 4	tout l'orchestre	*piano* puis *forte*	appuis sur les 2e et 4e croches
Coda	tout l'orchestre	*forte* puis *piano*	un arrêt suivi d'une section conclusive ramenant le calme

Un exemple de forme sonate : la *Sonate pour piano à quatre mains* KV 521 en ut de Mozart

La **forme sonate** a été une nouveauté particulièrement importante pour la création musicale de l'époque classique. C'est une façon d'écrire de la musique qui s'applique à toutes les formes musicales, que ce soit la symphonie, le concerto ou la musique de chambre.

Très structurée, la forme sonate n'est cependant pas rigide : elle permet au compositeur d'organiser ses compositions autour de **thèmes très différents**, parfois très contrastés, tout en préservant l'**unité de l'ensemble**.

ÉCOUTE

Le 1er mouvement de la *Sonate* KV 521 en ut pour piano à quatre mains de Mozart, qui est un exemple clair de forme sonate. Si l'on écoute l'extrait situé à la plage n° 7 du disque compact, on est frappé par l'impression d'équilibre qui domine. On remarque différentes parties qui se répètent.

1re PARTIE : EXPOSITION

– 1er thème : du début à la mesure 34 (0'54")

– 2e thème : de 35 à 84 (2'18")

Le second thème est dérivé du premier.

2e PARTIE : DÉVELOPPEMENT

De la mesure 85 à 136 (4'39") : développement, plus mouvementé, jouant sur l'opposition des registres (grave/aigu).

3e PARTIE : RÉ-EXPOSITION

De 136 (6'08") à la fin : reprise de la 1re partie, presque à l'identique, avec un passage bref de conclusion appelé *coda*.

Schéma général de la forme sonate

EXPOSITION	DÉVELOPPEMENT	RÉ-EXPOSITION
A	B	A'
1er THÈME tonalité principale 2e THÈME dominante (5e degré)	jeu sur les registres autres tonalités	1er THÈME 2e THÈME tonalité principale *CODA* (conclusion du mouvement)

Pour approfondir

- Vous pouvez écouter aussi le premier mouvement de la *Symphonie n° 40 en sol mineur* KV 550 de Mozart, composée en 1788.

Chant

La Flûte enchantée

Air de Papageno

MOZART

L'oiseleur Papageno (son nom veut dire « perroquet ») est le personnage comique de l'opéra* *La Flûte enchantée.* Il a un costume fait de plumes rouges et vertes, porte une cage sur le dos et joue d'une petite flûte de pan pour attirer les oiseaux.

Der Vogelfänger bin ich ja,	Je suis l'oiseleur, me voilà,
Stets lustig heisa hop-sa-sa!	Toujours joyeux, hop là, tralala !
Ich Vogelfänger bin bekannt	Moi, l'oiseleur, je suis connu
Bei alt und jung im ganzen Land.	Des jeunes et des vieux, en tous lieux.
Ein Netz für Mädchen möchte ich,	Je sais m'y prendre pour attirer
Ich fing sie dutzendweis für mich!	Et m'y entends aussi pour siffler.
Dann sperrte ich sie bei mir ein,	Aussi je puis être gai et joyeux,
Und alle Mädchen wären mein.	Car tous les oiseaux sont à moi.

La Flûte enchantée de Wolfgang Amadeus Mozart, avec Steven Cole dans le rôle de Papageno, mise en scène de Jorge Lavelli à Aix-en-Provence en 1989, © Agence Bernand.

Chant
La Marseillaise

ROUGET DE LISLE
1792

Que veut cette horde d'esclaves,
De traîtres, de rois conjurés ?
Pour qui ces ignobles entraves,
Ces fers dès longtemps préparés ? (bis)
Français, pour nous, ah ! quel outrage !
Quels transports il doit exciter !
C'est nous qu'on ose méditer
De rendre à l'antique esclavage !

Quoi ! ces cohortes étrangères
Feraient la loi dans nos foyers !
Quoi ! ces phalanges mercenaires
Terrasseraient nos fiers guerriers ! (bis)
Grand Dieu ! par des mains enchaînées
Nos fronts sous le joug se ploieraient !
De vils despotes deviendraient
Les maîtres de nos destinées !

Tremblez, tyrans et vous perfides,
L'opprobre de tous les partis,
Tremblez ! vos projets parricides
Vont enfin recevoir leurs prix ! (bis)
Tout est soldat pour vous combattre,
S'ils tombent, nos jeunes héros,
La terre en produit de nouveaux,
Contre vous tout prêts à se battre !

Français, en guerriers magnanimes,
Portez ou retenez vos coups !
Épargnez ces tristes victimes,
À regret s'armant contre nous. (bis)
Mais ces despotes sanguinaires,
Mais ces complices de Bouillé,
Tous ces tigres qui, sans pitié,
Déchirent le sein de leur mère !

Amour sacré de la Patrie,
Conduis, soutiens nos bras vengeurs !
Liberté, Liberté chérie,
Combats avec tes défenseurs ! (bis)
Sous nos drapeaux, que la victoire
Accoure à tes mâles accents !
Que tes ennemis expirants
Voient ton triomphe et notre gloire !

(couplet des enfants)
Nous entrerons dans la carrière
Quand nos aînés n'y seront plus ;
Nous y trouverons leur poussière
Et la trace de leurs vertus. (bis)
Bien moins jaloux de leur survivre
Que de partager leur cercueil,
Nous aurons le sublime orgueil
De les venger ou de les suivre !

Isidore Pils (1813-1875), *Rouget de Lisle chantant pour la première fois « La Marseillaise » chez Dietrich, maire de Strasbourg*, 1849, Musée de Strasbourg, © Dagli Orti.

Josef Danhauser (1804-1845), *Liszt au piano*, 1840, Berlin, Nationalgalerie, © AKG Paris.
De gauche à droite : Alexandre Dumas, Victor Hugo, George Sand, Niccolò Paganini, Gioacchino Rossini, Franz Liszt, Marie d'Agoult et buste de Beethoven.

Les artistes de la période romantique privilégient l'exaltation de la sensibilité et l'expression des passions. Les musiciens, devenus indépendants, trouvent leur source d'inspiration dans la littérature, la poésie et l'amour de la nature. Les formes musicales issues de la période classique – la sonate* et le concerto* – se transforment et de nouveaux genres apparaissent, comme le poème symphonique ou le *lied**. L'harmonie devient plus complexe et la virtuosité se développe pour servir l'intensité de l'expression. Quant à l'opéra*, il donne une dimension nouvelle aux héros du mélodrame*.

CHAPITRE 6

L'époque romantique (XIXe siècle)

Le temps des extrêmes

UN NOUVEAU COURANT ARTISTIQUE : LE ROMANTISME

L'entrée dans le siècle qui suit la Révolution française s'accompagne de profonds changements et marque le commencement d'une nouvelle période appelée **romantique.**

Venu de la littérature allemande avec Goethe et Schiller, ce nouveau courant artistique, qui met l'accent sur l'expression des sentiments et des passions, se propage progressivement dans toute l'Europe. Mais c'est Paris qui devient, dans les années 1820, la capitale du mouvement romantique. Chateaubriand et Lamartine sont les précurseurs du mouvement. Victor Hugo s'en fait ensuite l'un des porte-parole les plus fervents. Les peintres Géricault ou Delacroix, entre autres, trouvent eux aussi de nouveaux chemins pour exploiter leur créativité : couleur, mouvement, sujets historiques, goût pour le Moyen Âge et l'exotisme.

L'artiste romantique ne se borne plus à reproduire le monde réel, il s'attache à représenter ce que lui dicte son imagination, la « reine des facultés », selon Delacroix.

Édouard Cibot (1799-1877), *Anne Boleyn à la Tour de Londres dans les premiers moments de son arrestation*, 1835, Autun, Musée Rolin, © Erich Lessing/AKG Paris.

Beethoven, dernier classique et premier romantique

Beethoven, véritable précurseur, assure la transition entre la période classique (voir chapitre précédent) et le mouvement romantique.

Dès sa *Deuxième Symphonie* opus 36, écrite en 1802, il cherche de nouveaux moyens d'expression en donnant aux instruments à vent de l'orchestre une place plus importante. Dans son compte rendu sur la *Cinquième Symphonie* de Beethoven, E.T.A. Hoffmann écrit en 1810 que la musique « est la seule à exprimer avec une pureté sans mélange la véritable essence de l'art, elle est le plus romantique de tous les arts ».

Diversité de la création

Se réclamant de Beethoven, qui à leurs yeux est le premier à avoir véritablement exprimé ses sentiments grâce à la musique, trois générations de musiciens se succèdent, utilisant des moyens personnels et parfois opposés pour traduire leur idéal romantique.

Ainsi Johannes Brahms, Felix Mendelssohn et Robert Schumann s'inspirent des grands compositeurs du passé comme Haendel ou Bach et font redécouvrir leurs œuvres.

D'autres, tels Hector Berlioz, Richard Wagner ou Franz Liszt, considèrent la tradition avec méfiance ou mépris et inventent de nouvelles formes musicales qui répondent à leurs aspirations.

La fusion entre les arts, en particulier entre musique et littérature, donne naissance à la **musique à programme**, l'œuvre musicale étant directement inspirée d'un texte littéraire. La *Symphonie fantastique* de Berlioz, sous-titrée « Épisode de la vie d'un artiste », ou les *Préludes* de Liszt, inspirés de quatre poèmes de Joseph Autran, en sont des exemples significatifs.

Grandville (1803-1847), *Concert à la vapeur, caricature*, Paris, Bibliothèque nationale de France, département des Estampes, © Hachette-Livre.

Les musiciens-poètes (voir p. 89) mettent en musique des poèmes que l'on nomme des *lieder*. Ces mélodies accompagnées au piano se développent particulièrement en Allemagne où Franz Schubert, Robert Schumann et Richard Strauss notamment composent sur des poèmes de Goethe, Heine ou Schiller.

Une vie musicale florissante

De nombreuses **sociétés de concert** voient le jour dans toute l'Europe. Les concerts Colonne ou Pasdeloup à Paris, les orchestres philharmoniques à Vienne et à Berlin font la part belle à la musique symphonique. Le public se passionne pour la carrière des **virtuoses** comme Paganini ou Liszt qui parcourent l'Europe pour donner des récitals où ils relèvent de véritables défis instrumentaux. L'**opérette***, comme *La Belle Hélène* (1864) de Jacques Offenbach (1819-1880), et l'**opéra* italien** sont très appréciés. Le compositeur italien Gioacchino Rossini, que la critique, alors de plus en plus influente, surnomme *il signor vacarmini* à cause de ses orchestrations riches en cuivres, connaît un succès considérable.

Caricature de Rossini par Gill parue dans *La Lime*, 1867, © Hachette-Livre.

Deux compositeurs d'opéra : Verdi, Wagner

L'opéra trouve en Verdi et en Wagner deux défenseurs illustres, qui, chacun à sa manière, réalisent des chefs-d'œuvre au succès retentissant.

Giuseppe Verdi s'inscrit dans la tradition italienne du *bel canto*, qui donne la priorité au chant dans l'écriture musicale comme dans l'interprétation. Tirant ses livrets d'opéras des pièces de Victor Hugo ou de Shakespeare, il compose des mélodies où il s'attache à traduire la force des passions.

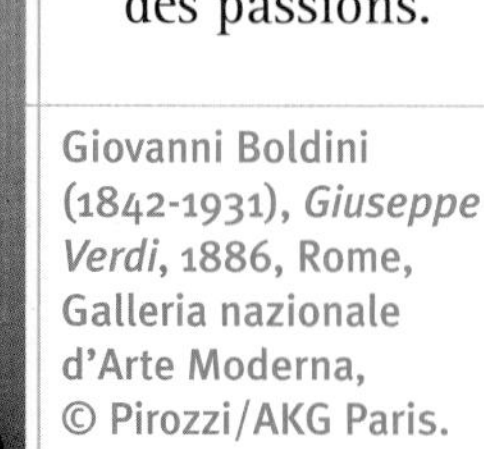

Giovanni Boldini (1842-1931), *Giuseppe Verdi*, 1886, Rome, Galleria nazionale d'Arte Moderna, © Pirozzi/AKG Paris.

Richard Wagner, © Hachette-Livre.

Puisant son inspiration dans les mythes et légendes germaniques, le compositeur allemand Richard Wagner construit un univers musical original. Inventeur du *leitmotiv*, thème musical associé à un personnage ou à une idée, il mène de front l'écriture des livrets, la composition et la mise en scène de ses drames musicaux. Projets d'une ampleur sans équivalent, ses opéras ont besoin d'un lieu à leur démesure. Le prince Louis II de Bavière donne à Wagner les moyens de réaliser à **Bayreuth** un théâtre convenant à son inspiration. *Parsifal*, drame lyrique, est mis à l'affiche à l'opéra de Bayreuth en 1882.

La musique symphonique

La musique symphonique connaît un succès constant tout au long du XIXe siècle. En Allemagne, à la suite de Johannes Brahms et d'Anton Bruckner, Gustav Mahler et Richard Strauss donnent à l'œuvre symphonique des proportions imposantes. Piotr Ilitch Tchaïkovski en Russie, Edvard Grieg en Norvège écrivent eux aussi pour l'orchestre.

Les compositeurs français

Au tournant du XIXe et du XXe siècle, la France ne manque pas de compositeurs de talent. César Franck, compositeur belge naturalisé français, grand admirateur de Wagner, forme de nombreux disciples comme Vincent d'Indy, Henri Duparc ou Ernest Chausson.

D'autres, tels Gabriel Fauré ou Camille Saint-Saëns, veulent échapper à l'influence de la musique allemande pour redonner à la musique française raffinement et poésie.

Concert donné à la salle Pleyel par Camille Saint-Saëns, le 2 juin 1896, Paris, Bibliothèque des Arts décoratifs, © Dagli Orti.

L'émergence des écoles nationales

À la fin du XIXe siècle, le sentiment patriotique est fort en Europe. De nombreux compositeurs se regroupent et cherchent à écrire de la musique à caractère national. En Tchécoslovaquie, Bedrich Smetana et Antonín Dvorák, qui s'inspirent du folklore populaire et écrivent leurs opéras dans leur langue maternelle. En Russie, Mikhaïl Glinka est le premier compositeur à revendiquer une écriture typiquement Russe. À la génération suivante, cet effort est relayé par les musiciens du Groupe des Cinq : Mili Balakirev, Cesar Cui, Alexandre Borodine, Modest Moussorgski et Nicolaï Rimski-Korsakov cherchent en effet à échapper à l'influence occidentale. L'Espagne aussi participe à cet effort pour retrouver ses racines musicales avec Felipe Pedrell, Isaac Albéniz et Enrique Granados.

Ludwig van Beethoven
(1770-1827)

Joseph Karl Stieler (1781-1858), *Beethoven avec le manuscrit de la* Missa Solemnis, 1819, Bonn, Beethoven Haus, © Erich Lessing/AKG Paris.

• Les débuts (1770-1792)

Né à Bonn, fils et petit-fils de musiciens, Ludwig van Beethoven est rapidement repéré pour sa précocité et semble suivre le même chemin que Mozart puisque son père veut faire de lui une « bête de foire ». Il donne son premier concert à l'âge de huit ans mais, rapidement, le père, alcoolique, s'avère incapable de former son fils et Ludwig doit poursuivre sa formation auprès de nouveaux maîtres. Excellent pianiste, il est nommé à douze ans organiste suppléant d'une église. Il se fait connaître, apprécier et aider financièrement par des membres de l'aristocratie locale qui ont remarqué ses dons. Ces amateurs lui permettent notamment d'effectuer un déplacement à Vienne en 1787 pour rencontrer

Mozart. Mais ce séjour ne se prolonge pas car Wolfgang n'accorde que peu d'intérêt à Ludwig, qui doit regagner rapidement Bonn lors du décès de sa mère. En 1792, Haydn, de passage dans la ville, examine quelques-unes de ses partitions, y trouve des éléments intéressants et lui propose de le rejoindre à Vienne pour se perfectionner.

• Le pianiste de l'aristocratie (1792-1802)

À Vienne, tout sourit à Beethoven : il donne d'importants concerts, a de nombreux élèves, reçoit de substantiels droits d'auteur dérivés de la publication de ses œuvres et trouve dans l'aristocratie de généreux mécènes, tout en poursuivant sa formation auprès de Haydn et d'autres musiciens jusqu'en 1795. Seule, mais considérable ombre à ce tableau : Beethoven commence alors à ressentir des difficultés auditives qui se transformeront progressivement en surdité totale. Les compositions de cette époque, encore assez classiques dans leur organisation, sont jugées parfois « bizarres ».

• Le compositeur novateur (1802-1814)

Victime d'une grave dépression en 1802, tenté par le suicide, Beethoven surmonte finalement le handicap de la surdité en décidant de se consacrer totalement à son art. C'est l'époque de grandes œuvres qui bousculent largement les cadres établis (les symphonies* n° 3, 5 et 6, le concerto* pour piano *L'Empereur*, l'opéra* *Fidelio*, les *Quatuors Razumovski*, etc.). Le public, tout en reconnaissant la grandeur et la puissance de ses œuvres, éprouve de plus en plus de difficultés à comprendre les idées du compositeur qui, mal à l'aise en société, a alors tendance à se renfermer dans son monde intérieur. En 1814, complètement sourd, Beethoven cesse définitivement de se produire en public.

• Les dernières années (1814-1827)

Ne communiquant bientôt plus que par l'intermédiaire de petits carnets dits « de conversation », Beethoven cesse de tenir compte des capacités de réception de ses contemporains et se met à écrire une musique délibérément novatrice : ses dernières œuvres – *Sonates** pour piano, *Missa solemnis*, *Variations Diabelli* pour piano, *Neuvième Symphonie* (avec des chœurs et contenant l'« Ode à la joie »), derniers quatuors à cordes (avec la *Grande Fugue*) – sont en rupture totale avec la musique du XVIIIe siècle et constituent des modèles pour les compositeurs du XIXe et du XXe siècle, de Schubert à Schoenberg. Beethoven meurt en 1827 des suites d'une pneumonie. Le cortège funéraire de ce solitaire est suivi par plus de 20 000 personnes.

Œuvres essentielles

- *Bagatelle pour piano*, dite *Lettre à Elise*
- *Sonates pour piano* (*Clair de lune*, *Pathétique*)
- *Quatuors à cordes*
- *Troisième Symphonie*, *Héroïque* ; *Cinquième Symphonie*, *Le destin* ; *Neuvième Symphonie* (avec chœurs)
- *Concerto pour piano et orchestre n° 5* (*L'Empereur*)
- *Concerto pour violon et orchestre*
- *Fidelio* (opéra)

Franz Schubert (1797-1828)

Franz Schubert, © Hachette-Livre.

• Les premières années

Fils d'un instituteur, ce compositeur de la première période romantique est enfant de chœur à Vienne et élève du célèbre Salieri avant d'enseigner lui-même dans l'école de son père. En 1818, encouragé par ses amis et le succès de *lieder** comme *Marguerite au rouet* ou *Le Roi des Aulnes*, il décide de se consacrer entièrement à la composition.

• Une production abondante

Il subsiste grâce à la générosité de ses amis et aux quelques droits d'auteur versés par les éditeurs qui commencent à imprimer ses œuvres. Il compose ainsi près de 600 partitions, dont une bonne partie lui a été commandée. Il devient le professeur de piano des filles d'un prince Esterházy, puis semble tout à coup avoir beaucoup de mal à composer et à achever ce qu'il a commencé (le *Quintette avec piano, La Truite* fait exception).

• Le temps des chefs-d'œuvre

L'inspiration revient à partir de 1823 (même si la *Symphonie* inachevée* date de cette époque), tandis que sa santé se détériore (il a contracté la syphilis). À cette époque, il devient très célèbre et recherché ; les meilleurs interprètes de son temps veulent jouer sa musique. Il entreprend alors des tournées de concerts en accompagnant au piano des chanteurs, mais ne néglige pas pour autant des partitions aux effectifs plus imposants comme la *Symphonie en ut*, dite la *Grande symphonie*. Très malade pendant les dernières années de sa vie, il compose néanmoins des chefs-d'œuvre dans pratiquement tous les genres (piano, musique de chambre, musique sacrée, etc.).

Œuvres essentielles

- Cycles de *lieder* : *Die schöne Müllerin, Winterreise, Schwanengesang*
- *Trio avec piano en mi bémol*
- Quatuor à cordes *La Jeune Fille et la Mort*, d'après le *lied* du même nom
- Quintette avec piano *La Truite*, et quintette avec deux violoncelles
- *Huitième Symphonie*, l'*Inachevée*

Les poètes du piano

Frédéric Chopin en 1823, © Hachette-Livre.

•Frédéric Chopin

Frédéric Chopin (1810-1849), compositeur polonais né d'un père français, consacre l'essentiel de son œuvre au piano seul. Il s'établit à Paris en 1831 et côtoie l'élite musicale de son temps. Pianiste exceptionnel, il n'aime pas jouer devant un public trop nombreux, lui préférant l'intimité des salons. Il vit pendant dix ans avec George Sand, la « Dame de Nohant ». On lui doit notamment des *Études*, *Préludes*, *Nocturnes*, *Valses*, *Polonaises* et *Mazurkas*.

Son style pianistique, où la mélodie est privilégiée, est très vocal.

•Robert Schumann

Robert Schumann (1810-1856) étudie le piano avec un professeur, Friedrich Wieck, qui s'oppose pendant longtemps à son mariage avec sa propre fille, également musicienne, Clara. Ses pôles d'inspiration ont été Bach et la poésie de l'allemand Jean-Paul Richter. Il se consacre successivement aux différents genres musicaux : musique pour piano (*Scènes d'enfants*, *Carnaval*, études symphoniques, sonates), *lieder* (*L'Amour et la vie d'une femme*, *Les Amours du poète*), orchestre (*Concerto* pour piano*, symphonies), musique de chambre puis oratorio*. Son style pianistique est très polyphonique*.

Portrait de Schumann, lithographie de Kriehuber, © Hachette-Livre.

•Franz Liszt

Franz Liszt (1811-1886) est né en Hongrie. Il s'installe avec sa famille à Paris en 1823 et, après avoir eu quantité de maîtres prestigieux, débute une carrière de concertiste à l'âge de vingt ans. Il effectue des tournées de concerts jusqu'en 1848 puis se fixe à Weimar (où il fait jouer beaucoup de musique contemporaine) jusqu'en 1861, et enfin à Rome jusqu'en 1886. Impressionné par le célèbre violoniste Paganini et par Berlioz, il eut toujours le souci de faire sonner son piano comme un orchestre, aussi bien dans ses transcriptions d'œuvres d'autres musiciens que dans ses propres compositions. Parmi ses œuvres les plus connues, on peut retenir les volumes d'*Études*, les *Années de pèlerinage*, la *Sonate* en si mineur* et les *Rhapsodies hongroises*.

Johannes Brahms (1833-1897)

Willy von Beckerarth (1868-1938), *Portrait de Johannes Brahms*, 1911, Berlin, coll. Archive f. kunst & Geschichte, © AKG Paris/ADAGP, Paris, 2003.

• Apprentissage (1833-1853)

Fils d'un musicien payé « à la prestation », Johannes Brahms débute sa carrière à Hambourg, notamment comme pianiste de taverne et comme accompagnateur de spectacles, de chanteurs ou d'offices religieux. Il ne conserve aucune œuvre de cette époque, les jugeant indignes de passer à la postérité.

• L'époque Schumann (1853-1862)

Âgé de vingt ans, il entreprend une tournée de concerts dans toute l'Allemagne avec un violoniste célèbre de l'époque, ce qui lui permet de rencontrer de nombreuses personnalités musicales comme Liszt à Weimar et surtout Robert et Clara Schumann à Düsseldorf. Ces derniers – admiratifs de leur jeune confrère – font tout ce qu'ils peuvent pour le faire connaître : ils organisent des concerts, incitent des éditeurs à publier ses œuvres et écrivent des articles élogieux dans la presse. Au moment de la disparition de Robert Schumann en 1856, Brahms apporte à Clara son soutien. À la fin des années 1850, il occupe divers postes avant de venir se fixer définitivement à Vienne.

• Vienne (1862-1897)

Personnalité musicale importante de la capitale autrichienne, Brahms se retrouve pris dans les éternelles querelles concernant les « conservateurs » et les « novateurs ». Il est considéré, un peu malgré lui, comme le chef de file des conservateurs, face aux novateurs qui soutiennent alors Wagner. S'il est dans un premier temps nommé à des fonctions officielles, il les abandonne toutes vers 1875, ses droits d'auteur et ses cachets suffisant à le faire vivre.

Œuvres essentielles

- Nombreuses pièces pour piano (*Sonates**, pièces de genre, etc.)
- *Lieder**, dont les *Quatre Chants sérieux*
- *Rhapsodie pour alto, chœur d'hommes et orchestre*
- *Requiem allemand*
- *Concerto* pour violon et orchestre*
- 4 symphonies

La musique à programme

Si le **figuralisme** – procédé qui consiste à illustrer musicalement une idée – existe depuis la Renaissance, c'est à l'époque romantique qu'il prend une grande importance dans les œuvres de quelques compositeurs attachés à associer un contenu non musical à leurs partitions symphoniques.

Eugène Delacroix (1798-1863), *Hamlet et Horatio au cimetière*, 1859, Paris, Musée du Louvre, © Erich Lessing/AKG Paris.

• La symphonie à programme

Le compositeur français **Hector Berlioz** (1803-1869) est pratiquement l'inventeur du genre de la **symphonie à programme** avec la *Symphonie fantastique* (1830) dont le sous-titre évocateur est « Épisode de la vie d'un artiste ». Le programme, texte fourni au public par le compositeur avant le concert, est largement autobiographique : il raconte tout au long des cinq mouvements les amours du musicien avec une actrice anglaise. Berlioz écrit également pour le violoniste Niccolò Paganini *Harold en Italie* (inspiré de l'œuvre poétique de Lord Byron), avec une partie de violon alto principal. Deux autres œuvres suivent : *Roméo et Juliette* (inspirée de la pièce de Shakespeare, avec solistes et chœurs) puis la *Symphonie funèbre et triomphale.*

Caricature de Berlioz, © Hachette-Livre.

• Le poème symphonique

Franz Liszt (1811-1886), outre ses compositions pour piano, est également l'auteur de deux symphonies à programme (une sur *Faust*, héros de la célèbre pièce de Goethe, et l'autre sur la *Divine Comédie* de Dante), mais on lui doit surtout l'élaboration du poème symphonique. Il s'agit d'une composition orchestrale en un mouvement ; en tête de la partition se trouve le poème ou la référence à l'œuvre théâtrale ou picturale qu'illustre l'œuvre musicale. Le poème symphonique *Préludes* (1854), d'après un poème de Lamartine, est le premier d'une série de treize partitions, parmi lesquelles *Ce qu'on entend sur la montagne* et *Mazeppa* (1850-1851, d'après Hugo) puis *Hamlet* (1858, d'après Shakespeare).

• La musique à programme en Europe

Les compositeurs qui s'inspirèrent d'œuvres littéraires ou artistiques furent très nombreux dans tous les pays. En France, les plus célèbres sont **César Franck** (*Le Chasseur maudit*, 1882), **Camille Saint-Saëns** (*Danse macabre*, 1874) et **Paul Dukas**, dont le poème symphonique *L'Apprenti sorcier* (1897) est bien connu des enfants, grâce au passage où apparaît Mickey dans le dessin animé *Fantasia* (1940) de Walt Disney.

• En Russie

En Russie, des compositeurs importants ont apporté leur contribution au genre du poème symphonique : **Alexandre Borodine** avec *Dans les steppes de l'Asie centrale* (1880), **Modest Moussorgski** avec *Une nuit sur le mont Chauve*, arrangé en 1886 par **Nicolaï Rimski-Korsakov**, lui-même auteur de *Schéhérazade* (1888).

• En Tchécoslovaquie

En Tchécoslovaquie, **Bedrich Smetana** a laissé un groupe de six poèmes symphoniques intitulé *Ma Patrie* (1872-1879), dont l'élément le plus connu est constitué par *La Moldau*, décrivant le parcours de la rivière Vltava (*Moldau* en allemand) depuis sa source jusqu'à son débouché dans l'Elbe.

• Dans les pays germaniques

Gustav Mahler, © Hachette-Livre.

Dans les pays germaniques, deux musiciens se sont illustrés dans ces genres musicaux : **Gustav Mahler** (1860-1911), dont les titres accolés à certaines de ses neuf symphonies (*Première Symphonie**, *Titan*, *Deuxième Symphonie*, *Résurrection*) renvoient à des contenus non musicaux, puis **Richard Strauss** (1864-1949), qui écrit d'abord une série de poèmes symphoniques, dont le plus célèbre est *Ainsi parlait Zarathoustra* (1896) – qu'on peut entendre dans le film de Stanley Kubrick *2001, l'Odyssée de l'espace* (1968) – avant de composer deux symphonies à programme : la *Symphonie domestique* (1903) et la *Symphonie alpestre* (1915).

Richard Strauss, © Hachette-Livre.

Teresa Stratas interprétant Violetta dans *La Traviata* adaptée au cinéma par Franco Zeffirelli, 1982, © Christophe L.

Giuseppe Verdi (1813-1901)

• L'ascension (1813-1850)

Né dans une famille pauvre, Giuseppe Verdi a du mal à apprendre son art et c'est après le refus du conservatoire de Milan de l'intégrer comme pianiste qu'il se consacre exclusivement à la composition, à celle d'opéras en particulier. Son troisième essai, *Nabucco* – vu à l'époque comme un signe de résistance à l'occupant autrichien –, fait un triomphe à la Scala en 1842. On y retrouve les caractéristiques de l'opéra* verdien : mélodies faciles à suivre (tradition du *bel canto*), chœurs (représentant le peuple) très importants et orchestre réduit au simple rôle d'accompagnateur. À partir de ce moment et pendant une dizaine d'années, Verdi écrit et fait représenter (en Italie mais aussi à Paris ou à Londres) un à deux ouvrages par an.

• La gloire (1850-1871)

Pendant vingt ans, Verdi, désormais célèbre, a tout le loisir de choisir, de discuter les livrets* et d'écrire la musique de ses nouvelles œuvres. Il s'éloigne de la tradition en fondant en un tout les chœurs et les solistes. Il en résulte une série de chefs-d'œuvre : *Rigoletto*, *Le Trouvère*, *La Traviata*, *La Force du destin*, auxquels il faut ajouter *Aïda*, créé triomphalement au Caire en 1871.

• La maturité (1871-1901)

Pendant la dernière période de sa vie, le compositeur réduit nettement le rythme de composition de ses opéras : mis à part quelques remaniements d'œuvres antérieures, on ne compte comme nouveautés que *Otello* et *Falstaff* (inspirés de Shakespeare), qui accordent une importance accrue à l'orchestre et proposent un nouveau type de chant, plus proche de la déclamation. Verdi s'essaie également à d'autres genres, comme le *Quatuor à cordes* ou bien le grandiose *Requiem*. En 1898, il surprend le public avec ses *Quatre Pièces sacrées*, d'atmosphère très recueillie.

Richard Wagner (1813-1883)

Richard Wagner à Bayreuth en compagnie de Franz Liszt et de Cosima, gravure sur bois d'après une peinture de Wilhelm Beckmann (1882), © Hachette-Livre.

• Les débuts : Dresde (1813-1849)

Né à Leipzig, Richard Wagner prend notamment des cours de composition avec un des successeurs de Jean-Sébastien Bach à Saint-Thomas de Leipzig. Il débute sa carrière comme chef d'orchestre d'opéra* dans plusieurs villes allemandes et est-européennes, tout en composant ses premiers essais dans le genre. En 1839, il vient à Paris pour faire représenter *Rienzi* (opéra dans le style français, avec beaucoup d'action) mais n'y parvient pas. Il y compose *Le Vaisseau fantôme* qui, comme l'ouvrage précédent, obtient un grand succès à Dresde. Pendant quelques années, il est maître* de chapelle de la cour de cette ville et écrit *Tannhäuser* puis *Lohengrin*. Ayant participé à des émeutes politiques en 1849, il doit alors quitter l'Allemagne et se réfugier en Suisse.

• L'exil à Zurich (1849-1862)

À Zurich, où il est exilé, Wagner rédige des ouvrages théoriques dans lesquels il définit un nouveau type d'opéra : *le drame musical*, où l'orchestre – qui ne cesse jamais de jouer – tient le rôle d'un commentateur au moyen de mélodies en relation étroite avec chaque personnage ou idée, les *leitmotivs*. Il n'y a plus de morceaux séparés ; tout l'opéra se déroule dans une sorte de « fondu enchaîné », les voix et l'orchestre étant totalement imbriqués. Wagner illustre sa théorie dans les deux premières des quatre parties de l'*Anneau du Nibelung* (le *Ring*) : *L'Or du Rhin* et *La Walkyrie*, puis dans *Tristan et Isolde*.

• Le triomphe à Bayreuth (1862-1883)

Amnistié, Wagner retourne en Allemagne, effectue des tournées de concerts et reçoit l'appui financier du roi Louis II de Bavière. Il peut ainsi faire représenter *Les*

La Walkyrie, réduction de l'affiche de Grasset, © Hachette-Livre.

Maîtres chanteurs de Nuremberg, achever le *Ring* (*Siegfried* et *Le Crépuscule des Dieux*) et le faire jouer intégralement, dans le théâtre spécialement construit pour lui par Louis II, au festival de Bayreuth qui se tient désormais chaque année. Un an avant sa disparition, sa dernière œuvre, *Parsifal*, y est jouée triomphalement.

Les écoles nationales

L'unité stylistique présente à l'époque classique n'existe plus. La période romantique se caractérise en effet par l'émergence d'écoles nationales qui cherchent à s'affirmer vis-à-vis des trois grands courants traditionnellement dominants que sont les courants allemand, français et italien. À travers l'art, ces écoles revendiquent aussi une certaine indépendance politique.

• En Tchécoslovaquie

En Tchécoslovaquie, le premier représentant important de ce courant national est **Bedrich Smetana** (1824-1884) qui compose huit opéras* sur des livrets* écrits en tchèque, comme *La Fiancée vendue*, ainsi que le cycle symphonique *Ma Patrie*, qui comprend le célèbre poème symphonique* *Vltava* (plus connu sous le titre de *La*

Scène du *Prince Igor* de Borodine : le camp des Polovtsiens, décor et costumes de Bilibine, © Hachette-Livre.

Moldau). Un peu plus tard, **Antonín Dvorák** (1841-1904) poursuit dans cette voie avec des opéras (*Russalka*), des poèmes symphoniques* et des citations de tournures mélodiques et rythmiques repérables dans d'autres œuvres telles que ses symphonies*, comme la *Symphonie du Nouveau Monde* (n° 9) qui mêle le folklore d'Europe centrale à celui d'Amérique du Nord.

• En Hongrie

En Hongrie, les musiques populaires tant hongroise que tzigane ont influencé les musiciens savants puisqu'on en trouve des traces dans des œuvres de Schubert, Brahms et surtout **Liszt**. Ce dernier n'hésite pas à imiter au piano la sonorité ainsi que le style de jeu du cymbalum hongrois (instrument traditionnel à cordes frappées avec deux maillets).

• En Russie

La Russie a longtemps été tributaire de musiciens étrangers. Le premier à s'être affirmé comme véritable compositeur russe est **Mikhaïl Glinka** (1804-1857), qui est l'auteur des opéras *La Vie pour le Tsar* et *Russlan et Ludmilla*. Ses continuateurs se sont rassemblés autour de son élève **Mili Balakirev** (1837-1910). Il s'agit de **Cesar Cui** (1835-1918), d'**Alexandre Borodine** (1833-1887), auteur de l'opéra *Le Prince Igor* et du poème symphonique *Dans les steppes de l'Asie centrale*, de **Modest Moussorgski** (1839-1881), auteur de l'opéra *Boris Godounov* et de **Nicolaï Rimski-Korsakov** (1844-1908). Ils constituent « La Puissante petite bande », plus connue aujourd'hui sous le vocable de **Groupe des Cinq**. Quant à **Piotr Ilitch Tchaïkovski** (1840-1893), il n'a pas cherché à incorporer systématiquement des éléments folkloriques dans ses

Piotr Ilitch Tchaïkovski, © Hachette-Livre.

œuvres, même si sa dernière symphonie (n° 6 : *Pathétique*) en contient quelques-uns, par exemple la citation d'une musique sacrée orthodoxe.

• En Scandinavie

Le Norvégien **Edvard Grieg** (1843-1907) écrit la musique de scène de *Peer Gynt* et le Finlandais **Jean Sibelius** (1865-1957) compose le poème symphonique *Finlandia*.

Edvard Grieg, © Hachette-Livre.

• En Espagne

En Espagne, ce sont les compositions pour piano qui se font l'écho de la tradition populaire, notamment les cahiers d'*Iberia* d'**Isaac Albéniz** (1860-1909) et les œuvres inspirées par des peintures de Goya (*Goyescas*) ou les douze *Danses Espagnoles* d'**Enrique Granados** (1867-1916).

• En France

La France a également connu quelques musiciens inspirés par le folklore régional comme **Vincent d'Indy** (1851-1931) et sa *Symphonie cévenole*, ou plus tard encore son élève **Marie-Joseph Canteloube** (1879-1956) et ses *Chants d'Auvergne*.

Les genres musicaux de l'époque romantique

Manuscrit autographe de la *Symphonie fantastique* d'Hector Berlioz, © Hachette-Livre.

Si on excepte le poème symphonique*, l'époque romantique innove peu dans le domaine des genres musicaux et privilégie aussi bien le piano seul que le grand orchestre symphonique.

• Musique vocale

La **musique vocale profane** voit le *lied** avec piano occuper une place prépondérante tandis que l'opéra* se diversifie.

GENRES		VOIX	ACCOMPAGNEMENT	CARACTÉRISTIQUES
lied		1	piano	Le piano « commente » le texte
			orchestre (+ chœurs)	*idem* pour l'orchestre
opéra	italien	solistes (+ chœurs)	orchestre	*bel canto*, sujets littéraires ou de la vie quotidienne
	français			grand opéra (action), drame lyrique (plus intime), opéra-comique (dialogues parlés), opérette (divertissement)
	national			dans la langue du pays, emploi d'éléments de « couleur locale » issus du folklore
	drame musical			mélodie continue, *leitmotiv*, orchestre commentateur

• Musique religieuse

Elle utilise d'énormes effectifs avec un style très spectaculaire.

• Musique instrumentale

La **musique de chambre** connaît une abondante production de pièces pour le piano.

GENRES	CARACTÉRISTIQUES
sonate pour piano	parfois en un seul mouvement
danses (valses, polonaises, mazurkas, etc.) et pièces aux titres très divers (*Scènes d'enfants* de Schumann, *Années de pèlerinage* de Liszt, etc.)	piano, le plus souvent réunies en recueils
tous ceux de l'époque précédente	instruments en plus : basson, clarinette, cor

La **musique d'orchestre** est écrite pour des effectifs très importants. Les pupitres des vents et des percussions s'amplifient.

GENRES	SOLISTES	CARACTÉRISTIQUES
symphonie	parfois	longue (chœurs et chanteurs solistes)
poème symphonique	ponctuellement	raconte une histoire ; un seul mouvement
concerto	piano, violon, violoncelle	combat musical soliste/orchestre

Edgar Degas ((1834-1917),
Les Musiciens de l'orchestre,
Paris, Musée d'Orsay,
© Dagli Orti.

La *Septième Symphonie* de Beethoven (extrait du 2e mouvement)

UN PEU D'HISTOIRE

La *symphonie**, genre musical majeur, apparaît à l'époque classique. Dans ce genre se sont particulièrement illustrés Haydn, Mozart et Beethoven. La *Septième Symphonie en la majeur* opus 92 a été composée en 1812.

REPÉRER DES PROCÉDÉS MUSICAUX

En écoutant ce passage célèbre, on peut repérer les différentes familles d'instruments qui constituent un orchestre symphonique. On peut aussi comprendre comment le compositeur exploite les nouvelles possibilités d'expression de l'orchestre, notamment le *crescendo*.

Si l'on écoute l'extrait n° 8 du disque compact, on est d'emblée frappé par l'atmosphère de tristesse qui se dégage, la monotonie de la mélodie, le nombre croissant d'instruments, l'orchestre qui joue de plus en plus fort, les sons qui sont de plus en plus aigus. Repérons **les procédés musicaux** qu'a employés Beethoven pour donner ces impressions.

• Tristesse et mode mineur

L'impression de tristesse est sans doute en partie due au *tempo*, qui est lent, et aux rythmes, qui sont simples. Mais cette impression est aussi liée au **mode musical** choisi par le compositeur : Beethoven a en effet composé ce début de mouvement avec des notes extraites d'une gamme en **mode mineur**, en opposition au **mode majeur**, qui donne plus facilement une impression gaie.

• Monotonie et répétition

Pendant tout l'extrait, on remarque que l'orchestre joue un seul et même **thème musical** (mélodie principale), qui se répète. L'impression de monotonie est donc liée à la répétition.

Dans la construction même du thème, on remarque encore **un élément qui se répète, petite formule rythmique** obsédante qui envahit tout le thème et fait l'effet d'une « marche lente ». Le rythme de cette formule est facile à décomposer (on peut le frapper dans les mains) : une note longue, puis deux notes brèves à nouveau suivies de deux notes longues. La technique musicale, qui consiste à répéter obstinément la même formule pendant tout un extrait, est appelée *ostinato*. Il s'agit ici plus précisément d'un *ostinato* **rythmique** : le rythme est identique, mais les notes changent, afin de créer une mélodie : le fameux **thème**.

Mais si cet extrait est répétitif, il n'est pas pour autant ennuyeux. À la deuxième répétition du **thème**, on peut en effet repérer **une mélodie secondaire** qui se **mêle au thème**. On appelle cette mélodie un **contre-chant***.

• Un nombre croissant d'instruments

À chaque répétition, ou **présentation**, du *thème*, on constate aussi que **les instruments sont plus nombreux**. La famille des **cordes** entre en premier, puis viennent celles des **vents** et des **percussions**. La famille des cordes n'entre pas en une seule fois, mais progressivement, par **groupes** : d'abord les pupitres des altos, violoncelles et contrebasses, puis le pupitre des seconds violons, enfin celui des premiers violons. Cet extrait est donc construit sur un **procédé d'accumulation**.

• Un orchestre qui joue de plus en plus fort...

Au début de l'extrait, le niveau sonore, ou l'**intensité**, est très **faible**. L'extrait est alors joué *piano* (faiblement). Ensuite, non seulement l'effectif de l'orchestre s'accroît, mais les instruments **augmentent** progressivement leur **intensité**, c'est-à-dire qu'ils jouent **de plus en plus fort**. L'orchestre effectue donc dans cet extrait un long et grand *crescendo*, pour jouer *fortissimo* à la fin, c'est-à-dire **très fort**.

• ... et de plus en plus aigu

Le thème est d'abord joué dans le **registre grave**, c'est-à-dire la partie la plus basse des sons. Mais on remarque que les instruments qui entrent jouent dans un **registre** chaque fois **plus aigu**, à un autre « étage », c'est-à-dire sur **un autre plan sonore**.

ANALYSER LE THÈME

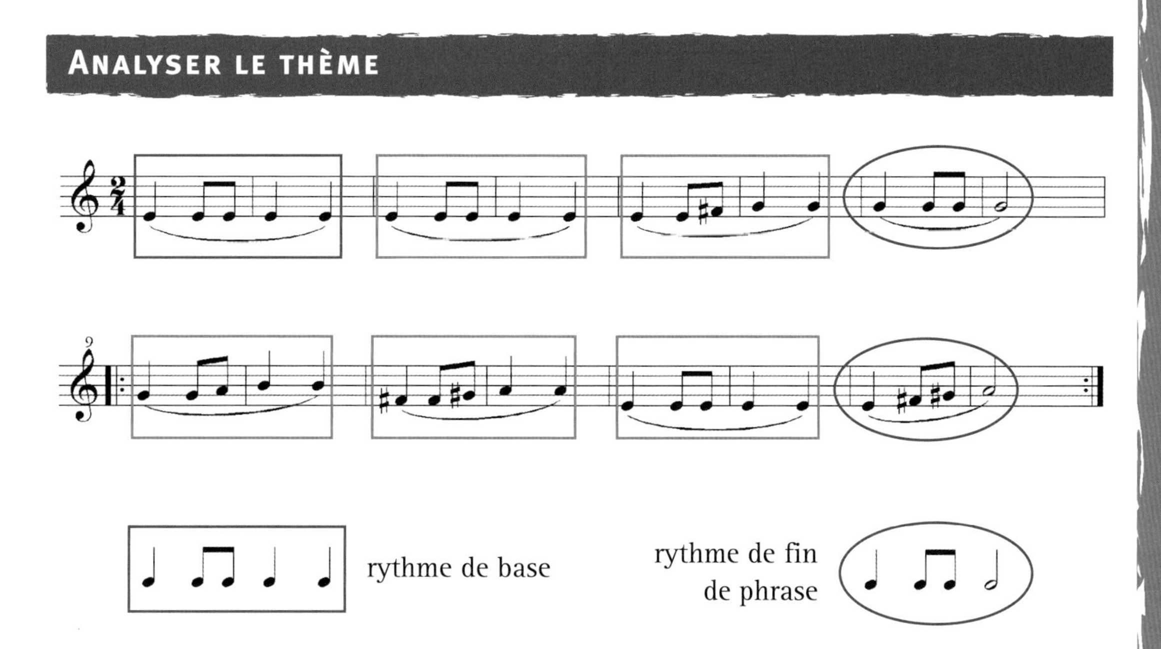

Le thème est en deux parties (la seconde est jouée deux fois). Si le rythme de ce thème ne varie pas beaucoup, ses notes non plus : on remarque douze répétitions de la même note.

La *Mazurka* opus 68 n° 2 de Frédéric Chopin

• Un peu d'histoire

La *mazurka* est une danse polonaise à trois temps. Elle se caractérise notamment par la présence de **rythmes pointés** ainsi que par l'**accentuation** se produisant **sur le deuxième ou troisième temps**. Apparue au XVIe siècle, la mazurka connaît une diffusion internationale au XIXe siècle avec les pièces de compositeurs comme Frédéric Chopin.

• Repérer le motif rythmique de base

Son matériau de base est très simple : il s'agit d'une cellule rythmique qui parcourt tout le morceau.

• Différencier les trois mélodies

Cette cellule va prendre trois aspects mélodiques : **a**, **a'** et **b**.

La mélodie **a** est la plus fréquente et est plutôt nostalgique.

début de **a**

La mélodie **a'** est un dérivé de **a** joué plus aigu, ce qui la rend un peu plus joyeuse que son modèle. Elle est très courte puisqu'elle ne dure que quatre mesures.

a' en entier

La mélodie **b**, toujours dérivée de **a**, est plus rapide et plus suave que son modèle. Elle est également plus longue, étant construite en deux parties (**b** suivie par **b'**).

début de **b**

• Établir un plan du morceau

Ce morceau adopte un plan ternaire A – B – A'.

a	a	a'	a'	b	b	b'	b'	a	a'	a
A				B				A'		

Flûte

Septième Symphonie

LUDWIG VAN BEETHOVEN

On peut jouer ce thème sur le disque (voir extrait n° 8) car il est écrit à la même hauteur.

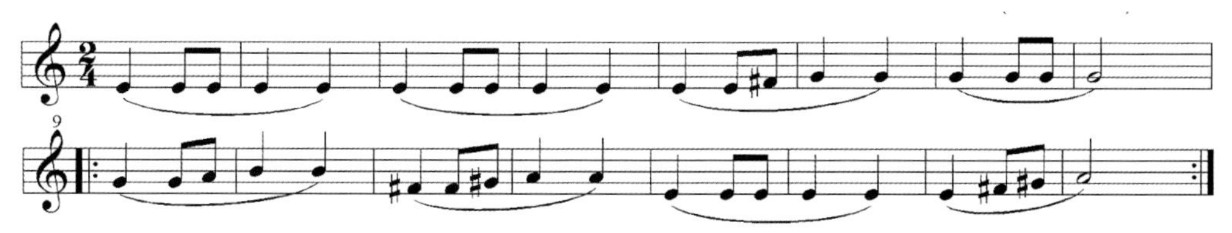

Troisième Symphonie

JOHANNES BRAHMS

Il faut se transformer en violoncelle pour jouer ce thème.

Aïda

Les « Trompettes d'Aïda »

GIUSEPPE VERDI

La célèbre fanfare de l'opéra égyptien de Verdi :

Raoul Dufy (1877-1953), *La Fée Électricité*, 1937, Musée d'Art moderne de la ville de Paris,

Avec le XXe siècle, le monde bascule dans la modernité et l'art cherche à s'émanciper des règles d'autrefois. La musique s'inspire de la couleur picturale et de grands ballets se créent à Paris. La Première Guerre mondiale provoque une véritable cassure dans la société. L'École de Vienne remet en cause les principes de composition avec l'atonalité*. L'invention de l'électricité révolutionne les habitudes. Les concerts radiodiffusés et le phonographe diffusent la musique dans le monde entier.

CHAPITRE 7

Le premier XXᵉ siècle

La musique moderne

1900-1945

Une nouvelle organisation du monde

Le début du XXe siècle est marqué dans tous les arts par une volonté de renouveau manifeste mais la Première Guerre mondiale remet en cause les fondements mêmes de la société héritée du XIXe siècle et ouvre les portes du monde moderne. Le monde des arts se libère des règles établies par le passé et trouve de nouveaux moyens d'expression. Chaque créateur étant désormais libre de voir le monde selon des critères personnels, une véritable mosaïque culturelle se met en place.

La couleur inspire la musique de Debussy et Ravel

Léon Bakst (1866-1924), *Esquisse de décor pour le Premier Acte du ballet* Daphnis et Chloé *de Maurice Ravel*, 1912, Paris, Musée des Arts décoratifs, © Erich Lessing/AKG Paris.

Deux musiciens, Claude Debussy et Maurice Ravel (voir pp. 110 et 112), très attachés à l'exploitation de la couleur instrumentale, donnent à la musique française un nouvel essor. Par sa capacité à traduire les sensations, les contrastes, leur musique est qualifiée d'impressionniste (en référence à la peinture de Monet) par les critiques de l'époque.

Debussy enrichit la palette sonore de ses compositions en intégrant des procédés d'écriture utilisés au Moyen Âge ou à la Renaissance, ou encore venus de la culture extra-européenne. Des œuvres comme *Pelléas et Mélisande* (1902), opéra* composé sur un texte du dramaturge belge Maeterlinck, ou le poème symphonique* *La Mer* (1905) permettent d'apprécier l'étendue de son inspiration.

Influencé par la culture espagnole car basque d'origine, Ravel est aussi un orchestrateur de premier ordre, qui sait à merveille traduire les atmosphères enfantines, les sons irréels. Le *Boléro* (1928) est encore aujourd'hui son œuvre la plus populaire. Ses deux concertos* pour piano, d'une virtuosité redoutable, montrent la vitalité rythmique et la force mélodique de ses compositions.

La danse et la musique sont à l'honneur à Paris

La musique de ballet connaît un fantastique renouveau à Paris. Sous l'impulsion de la compagnie des Ballets russes de Serge de Diaghilev, de magnifiques créations voient le jour dans la capitale française, provoquant souvent le scandale. On peut citer *Petrouchka* de Stravinski (1911), *Daphnis et Chloé* de Ravel (1912), *Jeux* de Debussy (1913) et *Le Sacre du Printemps* de Stravinski (1913).

Léon Bakst (1866-1924), *Le « dieu bleu »*, esquisse pour le ballet *Le Dieu bleu* de Reynaldo Hahn, 1912, coll. privée, © Erich Lessing/ AKG Paris.

Le Groupe des Six

La musique de scène attire aussi un groupe de compositeurs français constitué en 1920 autour du poète Jean Cocteau et baptisé le Groupe des Six (voir p. 111). Louis Durey, Germaine Tailleferre, Arthur Honegger, Darius Milhaud, Francis Poulenc et Georges Auric ont pour ambition de renouer avec la tradition des grands maîtres du passé et d'écrire de la musique d'inspiration nationale.

Le compositeur Erik Satie (voir biographie, p. 111) écrit une musique très originale, essentiellement pour le piano, comme *Trois Morceaux en forme de poire*.

Jacques-Émile Blanche, *Le Groupe des Six* (de gauche à droite : Germaine Tailleferre, Darius Milhaud, Arthur Honegger, Jean Wiener, Marcelle Meyer, Francis Poulenc, Georges Auric, Jean Cocteau), Musée des Beaux-Arts, Rouen, © Lauros/Giraudon/Bridgeman/ADAGP, Paris, 2003.

La musique sérielle

Accentuant la diversité des styles, la création se manifeste aussi dans un renouvellement radical des principes d'écriture musicale : la musique occidentale classique, qui repose depuis près de trois siècles sur les principes d'écriture tonale*, trouve en Allemagne, avec Schoenberg et ses successeurs Berg et Webern (voir pp. 114-116), une autre façon d'organiser les sons, appelée dodécaphonique*. Ces compositeurs d'avant-garde se regroupent au sein de l'École de Vienne*.

Un genre nouveau : la musique de film

L'invention du cinéma, due aux frères Lumière, remonte aux dernières années du XIXe siècle, et le premier film parlant, *Le Chanteur de jazz*, date de 1927. La musique de film intéresse rapidement de grands compositeurs comme Darius Milhaud ou Arthur Honegger, qui écrit notamment la musique originale du film *Napoléon* d'Abel Gance.

Affiche du film *Le Chanteur de jazz*, 1927, États-Unis, collection privée, © AKG Paris.

La diffusion planétaire de la musique

Autres révolutions technologiques, la radio et les techniques d'enregistrement liées à la naissance de l'électricité permettent une diffusion beaucoup plus large de la musique, qui devient plus populaire. C'est à cette époque que le phonographe rend célèbres les enregistrements du chanteur italien Caruso.

Le jazz

Cette musique, née aux États-Unis dans les milieux de musiciens noirs américains, traverse l'Atlantique pour connaître un grand succès en Europe, favorisée par la diffusion des premiers enregistrements. Le tout premier disque de jazz est celui de l'Original Dixieland Jazz Band, réalisé en 1917 à New York.

Claude Debussy (1862-1918)

Mary Garden dans le rôle de Mélisande, © Hachette-Livre.

• Les années d'apprentissage (1862-1884)

Les dons musicaux de Claude Debussy, né à Saint-Germain-en-Laye en 1862, sont tout d'abord repérés par une élève de Chopin qui le fait travailler et qui lui permet d'entrer au Conservatoire à l'âge de dix ans. Pendant huit ans il y apprend son métier (piano, écriture, composition). Précepteur musical d'une aristocrate russe (mécène de Tchaïkovski) à partir de 1880, il effectue quelques séjours dans des pays étrangers : Russie, Autriche et Italie, et élargit ainsi son horizon culturel. Il remporte le Premier Grand prix de Rome en 1884.

Claude Debussy par Pils, bois découpé, 1930, © Hachette-Livre.

• Les premières œuvres (1884-1902)

Au retour de son séjour à la Villa Médicis, il s'installe à Paris avec sa compagne Gaby et découvre la musique de Wagner puis celle d'Extrême-Orient (Java et Bali) à la faveur de l'Exposition universelle de 1889. Déjà auteur de mélodies et de pièces pour piano (les deux *Arabesques*), il devient célèbre à la création du *Prélude à l'après-midi d'un faune* en 1894. Les années qui suivent sont compliquées matériellement, sentimentalement (il quitte Gaby pour Lily, qu'il épouse) et artistiquement ; il a notamment beaucoup de difficultés à faire jouer son opéra* *Pelléas et Mélisande* en 1902.

• La maturité (1902-1918)

Une certaine sérénité apparaît quand, ayant divorcé de Lily, Debussy s'installe avec Emma ; leur fille, prénommée Claude-Emma et surnommée « Chouchou », naît en 1905. Debussy écrit alors une grande partie de son œuvre pour piano ainsi que des œuvres plus « difficiles » comme *Le Martyre de saint Sébastien* ou *Jeux*. La guerre ayant éclaté, il adopte une attitude nationaliste, se méfiant de Schoenberg et signant ses dernières partitions : « Claude Debussy, musicien français ».

Œuvres essentielles

- *Children's Corner*, recueil pour piano
- Quatuor à cordes
- *Prélude à l'après-midi d'un faune*, pour orchestre
- *La Mer*, les trois *Nocturnes* et le ballet *Jeux*, pour orchestre
- *Pelléas et Mélisande*, opéra

Erik Satie et le Groupe des Six

Erik Satie (1866-1925)

Ce personnage bizarre, à la musique et aux titres tout aussi curieux (des *Gymnopédies* aux *Gnossiennes* en passant par les *Préludes flasques pour un chien*), commence sa carrière en tant que pianiste de plusieurs cabarets parisiens. Ses œuvres – pratiquement toutes composées pour piano – se caractérisent par une esthétique dépouillée, une certaine mélancolie, ainsi que l'emploi d'accords utilisés pour leurs sonorités et ne s'enchaînant pas de manière « classique ». Erik Satie fut méprisé toute sa vie par les musiciens « installés » et ses tentatives dans d'autres genres (le ballet *Parade* avec Cocteau et Picasso en 1917 ; le drame symphonique avec chanteurs *Socrate* en 1920) furent également sévèrement critiquées. Erik Satie fut avec Darius Milhaud un des inventeurs du concept de la **musique d'ameublement** (appelée aujourd'hui *musique d'ambiance*), qui ne constitue qu'un élément du décor d'un lieu, et que l'on entend sans l'écouter.

Pablo Picasso (1881-1973) *Erik Satie*, © Hachette-Livre, Succession Picasso, 2003.

Le Groupe des Six

Autour de l'écrivain Jean Cocteau, six musiciens aux conceptions artistiques proches se réunissent en 1920. On compte parmi eux Louis Durey (1888-1979), Germaine Tailleferre (1892-1983) et Georges Auric (1899-1983). Les œuvres des trois autres compositeurs sont plus connues. Il s'agit tout d'abord du Suisse Arthur Honegger (1892-1955), auteur notamment de l'oratorio* *Le Roi David*, de l'opéra* *Jeanne au bûcher* et du mouvement symphonique imitant une locomotive à vapeur, *Pacific 231*. Le deuxième est Darius Milhaud (1892-1974) qui écrit les ballets *Le Bœuf sur le toit* et *La Création du monde*. Le dernier est Francis Poulenc (1899-1963), auteur de nombreuses pièces pour piano, de mélodies, du ballet *Les Biches* et d'un opéra, *Dialogue des carmélites*.

Maurice Ravel
(1875 -1937)

Maurice Ravel, © Photo H. Manuel/Hachette-Livre.

• Le rebelle (1875-1905)

Entré au Conservatoire de Paris à l'âge de quatorze ans, Maurice Ravel rencontre beaucoup de difficultés avec certains de ses professeurs, plus attachés aux règles écrites dans les traités qu'à la musique véritablement jouée. C'est ainsi qu'il échoue plusieurs fois au concours de Rome parce qu'on lui reproche son anticonformisme. Mais il trouve dans la personne de Gabriel Fauré, qui reconnaît son talent et qui apprécie ses premières œuvres, un véritable soutien.

• Le travailleur acharné (1905-1914)

Pendant les années qui précèdent la Première Guerre mondiale, Ravel compose beaucoup (piano, ballets, mélodies) mais avec un succès très relatif, le public étant décontenancé par sa musique. Toujours soucieux de « progrès », il participe à la création d'une société musicale d'avant-garde et s'intéresse aux œuvres de Schoenberg, par l'intermédiaire de Stravinski. Il emploie d'ailleurs les mêmes instruments que ses deux confrères pour accompagner ses *Trois Poèmes de Mallarmé.*

• La maturité (1914-1937)

Engagé volontaire au début du conflit en tant que conducteur de camion, Ravel tombe malade et est rendu à la vie civile en 1917. Reconnu comme une personnalité importante du monde musical, il refuse pourtant la Légion d'honneur qu'on lui propose après la guerre. Il se met à composer dans une esthétique plus dépouillée, renonçant à tout aspect décoratif. Au tout début des années 1930, il effectue de fructueuses tournées de concerts à l'étranger mais, frappé d'une maladie cérébrale, il est entièrement paralysé à partir de 1933.

Œuvres essentielles

- *Ma Mère l'Oye*, *Tombeau de Couperin*, pour piano
- *Quatuor à cordes*
- *L'Enfant et les sortilèges*
- *Boléro* pour orchestre : l'œuvre de musique classique la plus enregistrée et la plus diffusée dans le monde
- *Concertos* pour piano en sol* et *pour la main gauche*

Mise en scène de Jorge Lavelli pour *L'Enfant et les sortilèges* de Maurice Ravel à l'Opéra de Paris, 1979, © Agence Bernand.

Arnold Schoenberg (1874-1951)

Egon Schiele (1890-1918), *Arnold Schoenberg*, 1917, coll. privée, © Erich Lessing/AKG Paris.

• Les débuts (1874-1909)

Le fondateur de la Seconde École de Vienne se veut d'abord l'héritier de la tradition musicale romantique, notamment Brahms et Wagner, comme le montrent ses premières œuvres, *La Nuit transfigurée* ou les *Gurrelieder*. Mais, à partir du début du siècle, Schoenberg s'éloigne progressivement de l'écriture tonale* traditionnelle pour s'orienter vers l'atonalisme*, notamment sensible dans le *Deuxième Quatuor à cordes* qui, outre une voix de soprano, comprend des passages véritablement novateurs.

• La musique atonale (1909-1921)

Le pas est définitivement franchi avec les *Trois Pièces pour piano*, opus 11 qui sont entièrement atonales. Si la dissonance acquiert un droit de cité, il faut que l'oreille puisse néanmoins suivre des contours mélodiques : tel est le rôle de la *Klangfarbenmelodie* (*mélodie de couleurs de timbres*), utilisée dans les œuvres suivantes. Parallèlement, Schoenberg allège les parties vocales de ses œuvres en n'indiquant plus que les inflexions de la voix (*Sprechgesang*) comme dans le *Pierrot lunaire*. D'atonale, sa musique devint dodécaphonique*.

• La consécration (1921-1951)

Schoenberg poursuit ses recherches en organisant de manière très rigoureuse – en « séries » – les douze demi-tons de la gamme, donnant naissance au sérialisme*. En 1933, il quitte l'Allemagne devenue nazie pour les États-Unis où il enseigne à l'université pendant une quinzaine d'années, formant de nombreux élèves et servant lui-même de référence aux générations suivantes.

Œuvres essentielles

- *La Nuit transfigurée*, sextuor à cordes
- *Gurrelieder*, épopée pour solistes, chœurs et orchestre
- *Erwartung*, monodrame expressionniste pour voix de femme et orchestre
- *Pierrot lunaire*, 21 mélodrames pour voix et ensemble instrumental
- *Moïse et Aaron*, opéra*

Alban Berg (1885-1935)

Représentation de l'opéra d'Alban Berg, *Lulu* (1937) à Berlin en 1968, avec Evelyn Lear (Lulu) et Donald Grobe (Alwa), © Horst Maack/AKG Paris.

• Les débuts (1885-1914)

Né à Vienne dans une famille aisée et férue de musique, Alban Berg pratique très tôt la musique de chambre et écrit ses premières œuvres pour les formations familiales. Alors qu'il occupe un emploi de fonctionnaire, il rencontre Schoenberg qui le prend comme élève de 1904 à 1910. Avec Webern, condisciple de Berg, les trois musiciens forment ce que l'on appellera plus tard la « Seconde École de Vienne », qui travaille à explorer de nouvelles techniques d'écriture musicale ne reposant plus sur les gammes employées depuis la Renaissance. Berg fréquente tout aussi bien l'avant-garde viennoise que son compatriote Mahler, héritier de la tradition romantique, qu'il voit disparaître avec tristesse en 1911.

Portrait d'Alban Berg par Arnold Schoenberg (1874-1951), Vienne, Historisches Museum der Stadt Wien, © Erich Lessing/ AKG Paris/ADAGP, Paris, 2003.

• Wozzeck (1914-1925)

L'année du début du premier conflit mondial, Berg assiste à la représentation d'une pièce de théâtre de Büchner contant les malheurs d'un pauvre soldat, qui lui donne l'idée de son premier opéra*. *Wozzeck* n'est achevé qu'en 1921 et représenté intégralement en 1925 seulement. Berg est alors reconnu comme une personnalité musicale marquante.

• La consécration (1925-1935)

À partir de *Wozzeck*, les œuvres de Berg sont jouées, éditées et appréciées. Le compositeur bénéficie d'un contrat à vie chez son éditeur ; il est élu à l'Académie des Arts de Berlin. Bien que techniquement très complexe, sa musique est relativement accessible au non spécialiste car Berg a toujours privilégié l'expression et l'émotion.

Œuvres essentielles

- *Cinq Lieder* avec orchestre sur des textes de cartes postales de Peter Altenberg*
- *Wozzeck*, opéra
- *Concerto* de chambre pour piano, violon et treize instruments à vent*
- *Concerto pour violon, À la mémoire d'un ange*
- *Lulu*, opéra inachevé

Anton Webern (1883-1945)

Max Oppenheimer (1885-1954), *Anton Webern*, 1908-1910, Wuppertal, Von-der-Heydt-Museum, © Erich Lessing/ AKG Paris. Droits réservés.

• Études (1883-1908)

Compositeur autrichien, troisième membre de la « Seconde École de Vienne », Anton Webern abandonne rapidement la particule familiale *von* pour signer simplement « Webern ». Il suit des études de musicologie et soutient sa thèse de doctorat sur des techniques d'écriture de la Renaissance en 1906. Il a entre-temps rencontré Schoenberg, dont il est l'élève de 1904 à 1908, et dont il partage l'intérêt pour la nouvelle musique (atonalité*, dodécaphonisme* et sérialisme*).

• Chef d'orchestre (1908-1924)

Tout en composant, Webern exerce comme chef d'orchestre de théâtre et chef de chœurs. Pendant la Première Guerre mondiale, il est rapidement démobilisé en raison de sa mauvaise santé. Après la guerre (de 1923 à 1933), il dirige deux formations de musiciens amateurs et ouvriers : un orchestre et un chœur.

• Succès et malheurs (1924-1945)

À partir de 1924, les œuvres de Webern commencent à obtenir des prix ; le compositeur est édité l'année suivante et reçoit des responsabilités dans les programmes de la radio de Vienne en 1927. Mais une fois au pouvoir, les Nazis classent son œuvre parmi les productions « d'art dégénéré » et on lui retire peu à peu toutes ses fonctions à partir de 1938. Travaillant alors pour sa maison d'édition, il quitte Vienne à la fin de la Seconde Guerre mondiale et est abattu par erreur par un soldat américain en septembre 1945. Son œuvre, peu abondante, contient quelques pièces d'une grande brièveté. Elle sera, plus que celles de Schoenberg ou de Berg, la référence pour tous les compositeurs des générations d'après 1945.

Œuvres essentielles

- *Six Pièces* opus 6 pour orchestre
- *Six Bagatelles* opus 9 pour quatuor à cordes
- *Symphonie** opus 21
- *Variations* opus 30 pour orchestre
- *Arrangement du « Ricercar » de L'Offrande musicale* de Bach pour orchestre

Béla Bartók

(1881-1945)

Belá Bartók en 1930, © AKG Paris.

• Le pianiste (1881-1907)

Ce compositeur hongrois veut tout d'abord exercer la profession de pianiste concertiste. Ayant achevé ses études au conservatoire de Budapest, il passe des concours internationaux mais est battu par d'autres pianistes, notamment à Paris. De plus, ses premières compositions sont mal reçues. À son retour en Hongrie, il rencontre le compositeur Zoltán Kodály, qui s'intéresse alors aux musiques populaires et lui communique son intérêt pour elles.

• Pédagogue et ethnomusicologue (1907-1940)

Nommé professeur de piano au conservatoire de Budapest, Bartók commence à écrire de petites pièces pédagogiques (qui donneront les *Mikrokosmos*) et à parcourir le monde avec son ami Kodály afin de recueillir des mélodies et d'en effectuer des transcriptions. Ayant bien senti que ses œuvres n'étaient pas comprises, il continue néanmoins son activité de compositeur, mais de façon discrète, du moins en Europe, car il est en revanche bien mieux accueilli en Amérique.

• Succès américains (1940-1945)

Fuyant le nazisme, Bartók décide d'émigrer aux États-Unis en 1940 et exerce tout d'abord une activité d'interprète accompagnant d'autres musiciens. Il donne également des conférences à l'université. Mais, atteint de leucémie peu après son arrivée en Amérique, il doit cesser ces activités, trop fatigantes pour sa santé. À partir de 1943, les commandes d'œuvres affluent de tous côtés et il écrit alors quelques partitions importantes. Bien que peu connu du grand public, il est une des figures majeures de cette période.

Œuvres essentielles

- *Allegro barbaro* et *Mikrokosmos*, pour piano
- *Sonate* pour deux pianos et percussions*
- *Concerto* pour orchestre*
- *Musique pour cordes, percussions et célesta*
- *Le Mandarin merveilleux*, ballet pantomime

Igor Stravinski (1882-1971)

• Les Ballets russes (1882-1920)

Fils d'une basse* de l'opéra de Saint-Pétersbourg, Igor Stravinski suit des études de droit tout en prenant des leçons avec Rimski-Korsakov. Le chorégraphe Diaghilev ayant remarqué ses premières œuvres, une collaboration entre les deux hommes s'établit et Stravinski se consacre essentiellement au Ballet russe (*L'Oiseau de feu* en 1910, *Petrouchka* en 1911 et *Le Sacre du printemps* en 1913) dont les œuvres sont souvent créées ou jouées à Paris. Il fait régulièrement la navette entre la Suisse, la France et son pays natal.

Igor Stravinski, © Photo H. Manuel/Hachette-Livre.

• De Pergolèse... (1920-1950)

À la suite de la Révolution russe (1917), Stravinski décide de s'installer à Paris où il reste une vingtaine d'années, étant naturalisé français en 1934. Il adopte alors l'esthétique « néo-classique », prenant ses références dans les œuvres des compositeurs du XVIIIe siècle, et entreprend une carrière de pianiste qui lui fait parcourir le monde. En voyage aux États-Unis au moment de la déclaration de guerre, il décide d'y rester le temps du conflit. Il ne quittera plus ce pays, adoptant même la nationalité américaine en 1945.

• ... À Schoenberg (1950-1971)

Son grand « rival » du XXe siècle disparu (ils habitent tous les deux dans le même quartier de Hollywood mais ne se fréquentent pas), Stravinski décide de se lancer à son tour dans la technique sérielle*, reconnaît la valeur du *Marteau sans maître* du jeune Pierre Boulez (voir biographie, p. 136) et écrit essentiellement des œuvres d'inspiration religieuse comme *Threni* (1958).

Œuvres essentielles

- *Ballets* pour orchestre
- *L'Histoire du soldat* pour deux récitants, deux danseurs et douze musiciens
- *Ebony concerto** pour clarinette et orchestre de jazz
- *The Rake's Progress*, opéra*
- *Requiem Canticles*

Quelques autres compositeurs

• Edgar Varese (1883-1965)

Ce compositeur français a pratiquement cinquante ans d'avance sur tous les autres dans la mesure où, le premier, il écrit des œuvres uniquement destinées à des ensembles de percussions et dans lesquelles le rythme est la composante principale, comme *Arcana* (1927) ou *Ionisation* (pour 37 instruments à percussion joués par 13 personnes, 1931). Également pionnier de la musique concrète*, Varese utilise la bande magnétique dans *Déserts* (1954).

• Carl Orff (1895-1982)

En opposition à tous les courants musicaux du début du siècle, l'Allemand Carl Orff s'attache à redonner un côté primitif à la musique en écrivant des rythmes simples et répétitifs ainsi que des mélodies imitant celles du Moyen Âge. Sa cantate latine *Carmina burana* (1937) constitue le meilleur exemple de cette esthétique.

Affiche pour *Porgy and Bess* de George Gershwin, 1997, © Jim Caldwell, Houston Grand Opera.

• George Gershwin (1898 -1937)

Cet Américain fait carrière (avec son frère Ira) en écrivant des comédies musicales pour Broadway. Parmi les airs que les deux frères écrivent, de très nombreuses mélodies deviennent immédiatement des standards* de jazz. À une époque où cela ne se fait pas, il est l'auteur d'un opéra jazz mettant en scène des Noirs, *Porgy and Bess* (1935). Dans le domaine orchestral, il s'illustre dans le « jazz symphonique » avec la *Rhapsodie in blue*, le *Concerto* en fa* pour piano ainsi que la fantaisie *Un Américain à Paris.*

• Kurt Weill (1900-1950)

Compositeur allemand, Kurt Weill fait principalement carrière dans le théâtre musical et l'opéra, s'inspirant du théâtre de Bertolt Brecht. Son œuvre la plus connue est *L'Opéra de quat'sous* (1928), composée d'après l'*Opéra des gueux* (1728), compilation anglaise sur le même sujet (histoires de truands). La complainte de Mackie est passée dans le jazz et on trouve ainsi de nombreuses versions de *Mack the Knife.*

Les courants du jazz

• Un lieu : les États-Unis d'Amérique.

• Une époque : la fin du XIXe siècle.

• Des hommes : les esclaves noirs fraîchement libérés et leurs descendants.

• Une musique : le résultat du mélange opéré pendant trois siècles sur le sol américain entre cultures européenne et ouest-africaine.

Au temps de l'esclavage

Les premières manifestations de cette musique furent vocales : il s'agissait des *work songs* (chants de travail) que les Noirs exécutaient en plein air durant leurs journées de labeur. Plus tard, ayant été christianisés, ils s'imprégnèrent des histoires de l'Ancien Testament et en particulier de celle de Moïse délivrant les Hébreux de l'esclavage. Les chants religieux qu'ils créèrent ainsi collectivement – en s'inspirant des chants entendus et appris à l'église – portent les noms de **negro-spirituals** de manière générale et de **gospels** lorsque le texte provient directement de l'Évangile (issu du Nouveau Testament). La structure habituelle de ces chants est celle qui correspond au modèle « question (soliste) – réponse (chœurs) ».

À La Nouvelle-Orléans

Orchestre de jazz Dixieland : Tony Sparbaro, Eddie Edwards, Nick La Rocca, Jellow Nunez, Henry Ragas, 1916, © AKG Paris.

Au cours du dernier tiers du XIXe siècle, la Louisiane et tout particulièrement la ville de La Nouvelle-Orléans furent le théâtre de l'essor de la musique afro-américaine. On y trouvait des Blancs, des Noirs et des métis (appelés « Créoles ») à la peau beaucoup plus claire que les Noirs, qui avaient connu une certaine réussite sociale et qui étaient fortement imprégnés de culture et de musique occidentales. Ces derniers purent apprendre la musique, jouer du piano et déchiffrer une partie du répertoire classique ainsi que les danses et morceaux à la mode. Certains jouaient dans les bars, salons, cafés et autres endroits plus ou moins bien fréquentés. Un style pianistique original apparut : le **ragtime** (*tempo* « déchiré »). Dans le même temps, des fanfares ambulantes se constituaient (*marching bands*) et jouaient notamment lors des enterrements. Une fois la cérémonie achevée, les musiciens repartaient en improvisant ensemble sur les thèmes qu'ils venaient de jouer.

Dans le même temps, un autre genre capital se développait, le **blues**, qui contait toute la détresse des Noirs (« ma femme m'a quitté, je n'ai pas de travail, je suis pauvre, je suis malade mais ... je chante ») au travers d'une structure en trois parties et en trois accords qui fut à l'origine de très nombreux morceaux et plus tard du *rock'n roll.*

Au tout début du siècle, des ensembles de musiciens professionnels se constituèrent et reprirent l'atmosphère des *marching bands* néo-orléanais : ce fut le style **Dixieland.**

Naissance du jazz « moderne »

Dans les années 1920-1930, quand le quartier mal famé de La Nouvelle-Orléans (Storyville) fut « nettoyé », ces musiciens partirent pour la grande métropole de Chicago où un style plus moderne, qui porte le nom de cette ville, se développa (le piano, le saxophone et la contrebasse remplaçant les instruments « anciens » qu'étaient le banjo, le trombone et le tuba). Parmi ces pionniers, on peut citer King Oliver (1885-1938) et Louis Armstrong (1901-1971).

Louis Armstrong, Mickey Rooney et Jack Teagarden dans le film *En avant la musique* de D. Berkeley, 1940, © Collection Viollet.

Les aristocrates de l'orchestre

Les dix ans qui suivirent furent ceux de l'époque du **swing**, qui vit de grands ensembles – des **big bands** – se constituer pour jouer une musique rythmée, arrangée et tout entière vouée au divertissement dans des clubs célèbres de New York, comme le Cotton Club, où la bourgeoisie blanche venait s'amuser. Deux formations capitales furent celles de Duke Ellington (1926-1974) et de Count Basie (1935-1984).

Les genres musicaux de l'époque moderne

Fred Astaire dans *Top Hat* de Mark Sandrich, 1935, © Collection Christophe L.

Cette époque a abandonné la tonalité* et les formes qui en découlaient, comme la forme sonate*. Chaque compositeur invente désormais plus ou moins sa forme et le matériau musical à partir duquel il entend composer.

• La musique profane

La musique vocale profane conserve de l'importance : de nombreuses pièces pour voix seule et des œuvres destinées à la scène voient le jour.

<table>
<tr><th>GENRES</th><th>VOIX</th><th>ACCOMPAGNEMENT</th><th>CARACTÉRISTIQUES</th></tr>
<tr><td rowspan="3">noms divers</td><td rowspan="3">1</td><td>piano</td><td>proche du lied ou de la mélodie, court</td></tr>
<tr><td>ensemble instrumental</td><td>succession de pièces ; parfois plus récitées que chantées</td></tr>
<tr><td>orchestre</td><td>long</td></tr>
<tr><td>opéra</td><td rowspan="2">solistes (+ chœurs)</td><td rowspan="2">orchestre</td><td>savant : pour les initiés</td></tr>
<tr><td>comédie musicale</td><td>accessible : pour le grand public</td></tr>
</table>

• La musique religieuse

La musique religieuse est devenue le fait de quelques rares musiciens (Francis Poulenc, Olivier Messiaen).

• La musique instrumentale

La musique instrumentale s'est détournée de la sonate* pour piano et de la symphonie*. En revanche, les musiques destinées à accompagner un spectacle – comme le ballet ou le cinéma – connaissent un franc succès.

• La musique de chambre

La musique de chambre ne conserve qu'assez peu de formations « traditionnelles ».

GENRES	COMPOSITION
pièces pédagogiques, danses et morceaux divers	piano, souvent en recueils et portant des titres variés
genres de l'époque romantique	voir époque précédente
formations très diverses	percussions et voix parfois présentes

• La musique d'orchestre

La musique d'orchestre intègre massivement les percussions dans ses effectifs.

<table>
<tr><th>GENRES</th><th>SOLISTES</th><th>CARACTÉRISTIQUES</th></tr>
<tr><td>pièce isolée</td><td rowspan="3">ponctuellement</td><td>morceau de bravoure pour l'orchestre</td></tr>
<tr><td>suite (ballet), musique de film</td><td>accompagne le spectacle et suit l'action</td></tr>
<tr><td>poème symphonique, concerto</td><td>voir époques précédentes</td></tr>
</table>

Golliwogg's cake-walk de Claude Debussy

Un peu d'histoire

Cette pièce est la sixième et dernière du recueil *Children's Corner* (le coin des enfants) que Debussy dédia en 1908 à sa fille Claude-Emma, surnommée « Chouchou ». *Golliwogg* est un mot anglais qui désigne une poupée de chiffon représentant un Noir, comme les petites filles en avaient déjà au début du XXe siècle. Le *cake-walk* (le pas du gâteau) est une danse grotesque et rythmée d'origine noire américaine, très en vogue au music-hall vers 1900.

Repérer les thèmes

Deux thèmes bien différents parcourent cette œuvre. Le premier est celui du *cake-walk*, rythmique, nerveux et joyeux :

Le second est plus inattendu : il s'agit du thème principal de l'opéra* de Richard Wagner *Tristan et Isolde*, qui est au contraire sérieux et chantant. Sur la partition, Debussy écrit de manière moqueuse que cela doit être joué « *avec une grande émotion* » :

Écouter l'accompagnement

Debussy est un maître en ce qui concerne l'accompagnement des mélodies. L'accompagnement du premier thème est pratiquement tout en croches régulières et est d'abord énoncé seul :

Le compositeur l'applique ensuite au thème lui-même :

Quant au second – celui de *Tristan et Isolde* –, Debussy nous en fait entendre successivement quatre versions différentes :

Dégager la structure du morceau

La structure du morceau est très claire : c'est celle d'une forme en trois parties très courante.

PARTIE	TEMPO	NUANCE	CARACTÈRE	À REMARQUER
A	vif	forte	nerveux, joyeux	introduction
B	plus lent puis très lent	plus faible	plus indécis	Wagner
A'	voir A			conclusion

Interprétation
Boléro

RAVEL

Le *Boléro* de Maurice Ravel est l'œuvre française la plus jouée dans le monde. Son succès provient de l'originalité de l'idée de départ : faire répéter un même thème pendant vingt minutes environ, en ne faisant varier que l'orchestration. Pendant toute l'œuvre, les joueurs de caisse claire répètent inlassablement les mêmes deux mesures (voir ci-dessous).

• Taper le rythme

Après avoir écouté une partie du morceau et en s'entraînant un peu, on peut reproduire ce rythme en tapant sur ses genoux avec les mains.

Rythme du *Boléro* tapé sur les genoux (G = gauche ; D = droit) :

• Jouer et chanter le *Boléro*

Une fois ce rythme maîtrisé, l'ensemble de la classe peut se diviser en trois groupes pour jouer les éléments principaux du *Boléro*. Le premier groupe tape le rythme. Le deuxième joue le début de la mélodie à la flûte (ou bien le chante) tandis que le dernier imite les *pizzicati* des contrebasses en les chantant sur « *toum* ».

Flûte

Go down Moses

Go down Moses est le negro-spiritual (chant religieux créé par les Noirs américains sur des textes de l'Ancien Testament) le plus connu. Le texte raconte l'histoire de Moïse libérant les Hébreux de l'esclavage. Louis Armstrong a enregistré une version de référence de cette chanson qui a inspiré à son tour Claude Nougaro (*Armstrong*). On peut la jouer en divisant la classe en deux groupes : le premier joue les notes du haut (mélodie principale) tandis que le second joue les notes du bas (accompagnement).

Spectacle gospel, *Black Nativity*, © H. Gloaguen/Rapho.

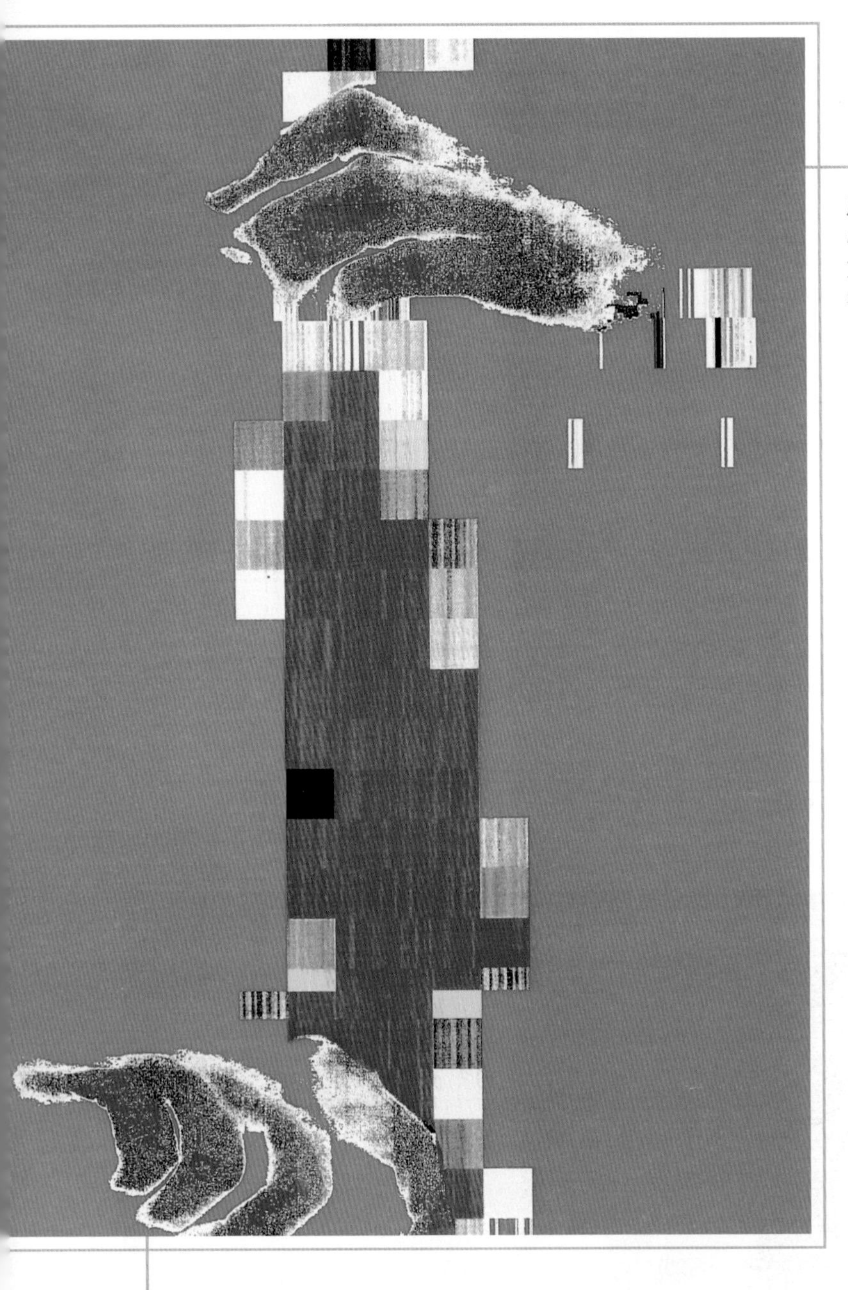

José Ferreira,
Le Contrebassiste 1, 1995,
30 x 42 cm, xérographie
sur papier © José Ferreira.

Après 1945, le besoin de reconstruction et les avancées technologiques – comme l'invention de l'électronique – ouvrent des voies inédites dans tous les domaines de l'expression artistique. La musique et les arts plastiques subissent des transformations parallèles et développent de multiples points de rencontre.

À l'aide d'un photocopieur, qu'il utilise à la manière d'un appareil photo, José Ferreira capture ses propres gestes de contrebassiste puis exploite les possibilités de traitement d'image de la machine pour parvenir à l'œuvre que nous voyons. Seules les mains du musicien – saisies en mouvement – restent reconnaissables tandis que l'instrument s'est dispersé en une myriade de pixels multicolores.

Le traitement électronique de l'image fait ici écho au traitement électronique du son. La dématérialisation de l'instrument, mise en scène par le plasticien, illustre ce qui sera une des grandes préoccupations des compositeurs de cette deuxième moitié du XXe siècle.

CHAPITRE 8
Le second XXe siècle

La musique de notre temps

De 1945 à nos jours

1945 : un monde à reconstruire

L'année 1945 marque la fin de la Seconde Guerre mondiale. Le monde sort meurtri de ce conflit qui a fait des millions de victimes. L'Europe est à reconstruire. Au cours des années de guerre, beaucoup de compositeurs comme Béla Bartók, Igor Stravinski ou Arnold Schoenberg s'expatrient aux États-Unis. L'activité artistique se trouve très ralentie et seules quelques œuvres sont créées. À titre d'exemple, c'est dans un camp de prisonniers, le 15 janvier 1941, que l'on entend pour la première fois le *Quatuor pour la fin du temps* d'Olivier Messiaen, compositeur dont l'influence sera déterminante pour nombre de musiciens de la génération suivante.

Darmstadt : un nouveau lieu de rencontre pour les compositeurs d'avant-garde

Les salles de concerts des grandes villes étant détruites, c'est à Darmstadt, petite ville d'Allemagne, qu'un groupe de compositeurs d'avant-garde se retrouve en 1946 pour réfléchir à un langage musical différent, confronter ses idées et, bien sûr, faire jouer ses œuvres. On y retrouve quelques-uns des compositeurs les plus marquants de cette deuxième moitié du XXe siècle : Pierre Boulez, Karlheinz Stockhausen, Hans Werner Henze, Henri Pousseur, Luigi Nono ou Mauricio Kagel.

À Paris le Groupe de recherches musicales

Pierre Henry au centre Acanthes en 1982, © Agence Enguerand/Bernand.

Le Groupe de recherches musicales, ou G. R. M., se crée à Paris en 1951 sous l'impulsion de Pierre Schaeffer qui est rejoint peu de temps après par le compositeur Pierre Henry. Inventeurs de la **musique concrète***, ces deux compositeurs manipulent et combinent des sons enregistrés, sur disque ou bande magnétique, pour en faire une œuvre musicale. Leur première œuvre de collaboration marquante est la *Symphonie* pour un homme seul* (1949-1950), qui donnera lieu à une chorégraphie de Maurice Béjart en 1955. Les deux œuvres les plus connues de Pierre Henry sont ses *Variations pour une porte et un soupir* (1963) et sa *Messe pour le temps présent* (1967).

Le Domaine musical

Engagé par Jean-Louis Barrault comme directeur musical de sa compagnie Renaud-Barrault, Pierre Boulez (voir biographie, p. 136) fonde en 1954 le Domaine musical. Son but est de promouvoir la musique nouvelle en organisant des concerts. Son œuvre *Le Marteau sans maître* est donnée en première audition cette même année.

La musique électronique

Parallèlement au Domaine musical, deux studios consacrés à la musique électronique se créent à Cologne et à Milan. La **musique électronique** ne fait appel, dans sa composition ou sa réalisation, qu'à des sons tirés d'instruments électroniques comme les synthétiseurs. À Cologne, c'est dans les studios de la radio qu'est créé un haut lieu de la recherche musicale. Stockhausen en prend la direction à partir de 1962 (voir biographie, p. 138). À Milan, le Studio de *fonologia* ouvre ses portes en 1950 sous l'impulsion de Bruno Maderna et de Luciano Berio qui sont rejoints peu après par Luigi Nono.

La musique aléatoire

Le compositeur américain John Cage, élève de Schoenberg, met en avant le rôle du hasard et du silence dans la création musicale. En 1952, sa pièce *4'33''* fait scandale : ce sont les bruits existants dans la salle de concert au moment de la représentation, le bruit du public et celui de l'air conditionné, qui constituent à eux seuls l'œuvre musicale.

L'Ircam

Georges Pompidou, alors président de la République, demande en 1970 à Pierre Boulez de diriger et coordonner la mise en route d'un grand projet musical, l'Ircam (Institut de recherche et de coordination acoustique/musique). Le but de cet institut de recherche est d'associer étroitement l'électronique et la musique afin de développer de nouvelles connaissances et de susciter un nouveau monde sonore. Pour l'aider dans cette tâche, Pierre Boulez fait appel à Luciano Berio (1925-2003), Vinko Globokar, Jean-Claude Risset, Gerald Bennett et Michel Decoust. L'inauguration de l'Ircam a lieu en 1977.

En 1981, Giuseppe di Giugno achève de mettre au point un ordinateur très sophistiqué, le 4X, capable d'effectuer simultanément plus de deux cent millions d'opérations par seconde sur différents échantillons sonores.

Depuis les années 1990, l'Ircam cherche à faire connaître ses activités au grand public en organisant chaque année des journées « portes ouvertes », mais aussi des stages d'été destinés aux jeunes musiciens de toutes nationalités.

Processeur 4X, Sogitec, vers 1980, Collection Musée de la Musique, © Cliché Jean-Marc Anglès.

Un autre moyen pour composer : l'Upic

Iannis Xenakis, © Agence Enguerand/Bernand.

Le compositeur grec Iannis Xenakis (voir biographie, p. 137) travaille à partir de 1974 à la réalisation d'une machine appelée Upic (Unité polyagogique informatique). Elle se compose d'une table digitale de grandeur variable, sur laquelle on peut réaliser des dessins immédiatement convertis en sons et retransmis sur haut-parleur.

La musique répétitive, la musique spectrale

La **musique répétitive** prend naissance aux États-Unis dans les années 1960. Influencée par la musique indienne, elle utilise des formules mélodiques et rythmiques faciles à entendre, qui se répètent de nombreuses fois avec de subtiles variations, ce qui tend à faire perdre à l'auditeur la notion du temps. Steve Reich (né en 1936) ou encore Phil Glass (né en 1937) sont deux des compositeurs les plus représentatifs de ce courant musical.

En 1973, un groupe de compositeurs, parmi lesquels Tristan Murail et Gérard Grisey (voir biographie, p. 139), participent à la fondation d'un nouvel ensemble ayant vocation à jouer toutes les musiques d'avant-garde : l'ensemble **L'Itinéraire**. Ces jeunes créateurs écrivent de la musique non plus grâce à des notes mais en étudiant les propriétés acoustiques du son et en utilisant des règles mathématiques. Le son est décomposé en fragments appelés partiels. Cette **musique** est appelée **spectrale**.

Phil Glass, © Philippe Gontier.

UN UNIVERS SONORE MARQUÉ PAR SA DIVERSITÉ

L'univers musical de ces cinquante dernières années s'est considérablement élargi ; à la différence des époques précédentes, les compositeurs prennent souvent aujourd'hui des voies musicales singulières pour exprimer leurs talents. Cette extraordinaire variété dans la manière de concevoir la musique repose à la fois sur :

• **la variété des parcours personnels :** beaucoup de compositeurs ont, en plus de leur formation musicale, étudié d'autres disciplines, notamment la physique, l'architecture ou la philosophie ;

• **des moyens nouveaux pour réaliser les œuvres :** les créateurs bénéficient aujourd'hui de l'apport conjoint des instruments traditionnels et des nouvelles technologies issues de l'électronique et de l'informatique (voir chapitre 9) ;

• **une meilleure circulation de l'information :** les nouveaux moyens de communication liés à l'essor de l'Internet facilitent bien évidemment les échanges et la confrontation des idées créatrices entre les musiciens et ouvrent de nouveaux horizons musicaux.

Studio Circé du Groupe de musique expérimentale de Bourges, © Photo IMEB.

Olivier Messiaen

(1908-1992)

Olivier Messiaen, © photo Marion Kalter/AKG Paris.

• Les années de formation

Olivier Messiaen naît en 1908 à Grenoble. Il passe son enfance au contact de la nature, ce qui aura une grande influence sur son œuvre. Il entre au Conservatoire de Paris juste après la Première Guerre mondiale et suit notamment les cours de Maurice Emmanuel, du compositeur Paul Dukas et de l'organiste Marcel Dupré, qui lui transmet son goût pour l'improvisation. En 1930, il devient organiste titulaire des grandes orgues de l'église de la Trinité à Paris.

• Prisonnier de guerre

En 1940, Olivier Messiaen est fait prisonnier et envoyé en Silésie dans un camp de travail où il reste deux ans. Pendant cette période de captivité, il compose l'une de ses œuvres les plus connues, le *Quatuor pour la fin du temps.*

• L'enseignement

En 1942, il est nommé professeur d'analyse puis de composition au Conservatoire de Paris. Son enseignement est suivi par de nombreux jeunes compositeurs de talent, dont Pierre Boulez, Iannis Xenakis, Karlheinz Stockhausen (voir biographies, pp. 136-138) et, à partir des années 1970, Gérard Grisey et Michèle Reverdy. Son activité de pédagogue est reconnue dans le monde entier.

• La composition

L'œuvre musicale d'Olivier Messiaen est marquée par son intérêt pour le rythme (venu des cultures extra-européennes, de la culture hindoue en particulier), la couleur (à travers les modes issus de l'Antiquité grecque), la nature (il a transcrit plusieurs centaines de chants d'oiseaux) et par l'expression d'une foi catholique profonde. Son influence sur la musique de notre temps est considérable.

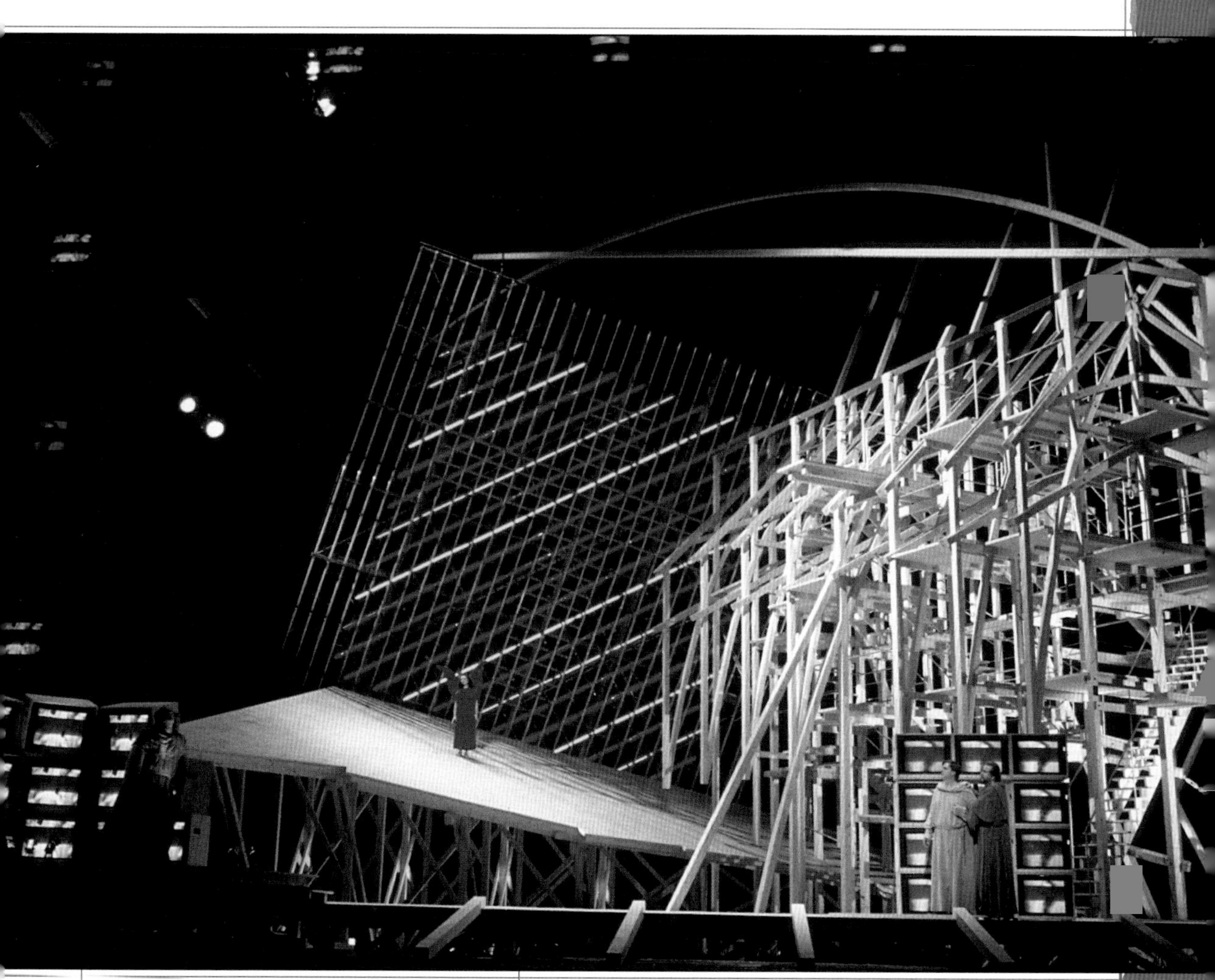

Représentation de *Saint François d'Assise* mis en scène par Peter Sellars, Opéra-Bastille, Paris, 1992, © Agence Bernand.

Œuvres essentielles

- *Quatuor pour la fin du temps* pour violon, clarinette, violoncelle et piano
- *Vingt Regards sur l'Enfant Jésus* pour piano
- *Turangalîla Symphonie* pour orchestre
- *Les Oiseaux exotiques*
- *Nuits pour douze voix à cappella*
- *Saint François d'Assise*, opéra*

Pierre Boulez (né en 1925)

Pierre Boulez, © photo Philippe Gontier.

• Musique et mathématiques

Originaire de la ville de Montbrison, Pierre Boulez étudie tout d'abord les mathématiques avant de se consacrer à la musique. De 1942 à 1945, il fait ses études musicales au Conservatoire de Paris, où il suit les cours d'harmonie d'Olivier Messiaen (voir biographie, p. 134). Il se passionne pour la musique d'Alban Berg et d'Anton Webern (voir chapitre précédent). En 1946, il devient directeur musical de la compagnie Renaud-Barrault puis du Domaine musical, lieu de diffusion important pour la musique contemporaine (voir Repères, p. 131). En 1952, il travaille avec Pierre Schaeffer au Groupe de recherches musicales (G. R. M.), ce travail aboutissant à l'écriture de *Deux Études sur la musique concrète*. Il met rapidement fin à cette expérience. Son profond intérêt pour la littérature et la poésie se traduit par la création de plusieurs œuvres, dont *Le Marteau sans maître* (1954), inspiré d'un texte de René Char.

• Un chef d'orchestre reconnu à l'étranger

En 1958, Pierre Boulez part vivre en Allemagne et donne des cours d'harmonie à Darmstadt (voir Repères, p. 130) et à l'Académie de musique de Bâle, puis en 1963 à l'université de Harvard. Sa notoriété de chef d'orchestre croît rapidement. En plus des concerts du Domaine musical, il dirige *Wozzeck* d'Alban Berg à l'Opéra de Paris, *Parsifal* de Wagner en 1967, et devient le chef d'orchestre de l'Orchestre symphonique de la BBC (de 1971 à 1975) et de l'Orchestre symphonique de New York (de 1971 à 1977). Il dirige ensuite le fameux cycle d'opéras* de Richard Wagner, le *Ring*, à Bayreuth de 1976 à 1980.

• Le retour en France

En 1976, il est nommé directeur de l'Institut de recherche acoustique/musique et professeur au Collège de France. Il prend la direction de l'Ensemble Intercontemporain en 1977. Poursuivant avec cet ensemble ses activités de compositeur, il crée le *Dialogue de l'ombre double* (pour clarinette en 1985, puis pour basson en 1995) et *Incises* pour piano solo en 1996.

Œuvres essentielles

- *Le Marteau sans maître* pour voix d'alto et six instruments
- *Domaines*
- *Pli selon Pli* pour soprano et orchestre
- *Repons* pour ensemble instrumental

Iannis Xenakis
(1922-2001)

• L'ingénieur

Compositeur, architecte, Iannis Xenakis naît en 1922 en Roumanie. En 1940, il est reçu à l'Institut polytechnique d'Athènes. Il arrive en France en 1947, où il collabore avec l'architecte Le Corbusier pendant plus de vingt ans.

• Un compositeur mathématicien

Iannis Xenakis suit ensuite des cours de composition avec Hermann Scherchen puis avec Olivier Messiaen au Conservatoire national supérieur de musique de Paris. Sa première œuvre marquante est *Metastasis* (1953) pour 61 instruments, composée à partir de formules mathématiques. Il part ensuite étudier au G. R. M. (voir Repères, p. 130) en 1957 et publie *Musique formelle*, ouvrage dans lequel il expose sa théorie musicale. Il cherche ensuite à développer au maximum l'espace sonore dans *Terrêktorh* (1965), œuvre pour orchestre où les musiciens jouent au milieu du public.

Iannis Xenakis, © photo Philippe Gontier.

• Une œuvre éclectique

En 1965, Xenakis obtient la nationalité française. C'est peut-être dans l'écriture vocale que s'exprime le mieux son lyrisme dramatique, notamment dans *Cendrée* (1973) pour chœur mixte de 72 voix, ou *Nuits* (1967). Le très vaste catalogue de Xenakis comprend aussi des musiques de scène comme *Medea* (1967), composée sur des textes de Sénèque. *Diatope* (1978), spectacle son et lumière, inaugure le Centre Georges Pompidou en 1978. Sa production s'enrichit à la fin des années 1980 d'œuvres écrites pour petite formation instrumentale comme son quatuor à cordes *Tetora*. Il meurt en 2001.

Œuvres essentielles

- *Metastasis* pour orchestre
- *Diatope*, son et lumière

Karlheinz Stockhausen (né en 1928)

Karlheinz Stockhausen au Cloître Saint-Louis, à Avignon, en 1977, © Bernand Enguerand.

Parmi les musiciens de notre temps, Karlheinz Stockhausen est considéré comme l'une des personnalités les plus marquantes. Sa production musicale est considérable et explore les différentes tendances apparues en musique depuis l'après-guerre.

• Une enfance dramatique

Karlheinz Stockhausen naît en 1928 en Allemagne. La Seconde Guerre mondiale fait de lui un orphelin : son père disparaît au front en Hongrie, sa mère est assassinée par les Nazis dans un hôpital psychiatrique en 1941. Pour survivre, il travaille comme brancardier, puis comme ouvrier agricole. La guerre terminée, il entre au Conservatoire et à l'université de Cologne en musicologie. Pour gagner sa vie et subvenir à ses études, il joue du jazz et fait de multiples petits métiers.

• La formation musicale

Il étudie l'écriture musicale avec le compositeur suisse Frank Martin, assiste aux cours organisés à Darmstadt en 1951 et se familiarise alors avec l'univers musical de Pierre Boulez et d'Olivier Messiaen. Profondément marqué par la pièce pour piano *Modes de valeur et d'intensité* de Messiaen, il se forme avec lui à Paris l'année suivante. En 1953, il compose ses premières œuvres d'esthétique sérielle* et s'intéresse ensuite à la musique électronique en travaillant au Groupe de recherches musicales avec Pierre Schaeffer.

• L'œuvre musicale

L'œuvre *Studie I* (1953) est le fruit de ce travail. Les *Klavierstücke I à IV* paraissent également cette même année. De plus, il participe à la fondation du Studio de musique électronique de la radio de Cologne. Son activité créatrice des années 1956 à 1960 l'impose comme l'un des compositeurs les plus importants. On peut citer *Klavierstücke XI* (1956) pour piano. En 1970, à l'Exposition universelle de Tokyo, ses œuvres sont jouées pendant 123 jours d'affilée devant un million de spectateurs. Depuis 1977, il se consacre à l'écriture d'une œuvre monumentale : *Licht* (Lumière), ensemble de sept opéras*, correspondant aux sept jours de la semaine, dont l'exécution devrait durer près de trente-cinq heures.

Œuvres essentielles

- *Gruppen* pour 3 orchestres
- *Klavierstücke I à XVI* pour piano (achevés en 1995)
- *Mantra* pour 2 pianos, 2 modulateurs en anneau, 2 wood-block, 2 jeux de cymbales antiques

Gérard Grisey
(1946-1998)

Gérard Grisey, © Guy Vivien.

• Les années de formation

Né à Belfort en 1946, Gérard Grisey débute sa formation musicale au conservatoire de Trossingen puis au Conservatoire de Paris dans la classe d'Olivier Messiaen (voir biographie, p. 134), et suit à l'École normale de musique les cours d'Henri Dutilleux. Il se perfectionne ensuite à Darmstadt en 1972 (voir Repères, p. 130), entre autres auprès de Karlheinz Stockhausen, György Ligeti et Iannis Xenakis (voir biographie, p. 137). Il étudie ensuite l'acoustique sous la direction d'Émile Leipp, et l'électroacoustique avec Jean-Étienne Marie à la Faculté des sciences de Paris.

• Fondation de l'ensemble L'Itinéraire

Entre 1972 et 1974, Gérard Grisey séjourne à Rome comme pensionnaire à la Villa Médicis. En 1973, avec Tristan Murail, Roger Tessier et Michaël Lévinas il fonde l'ensemble L'Itinéraire (voir Repères, p. 133). Il s'intéresse tout particulièrement aux propriétés acoustiques du son, « au processus de transformation d'un son vers un autre son, d'un ensemble de sons vers un autre ensemble ». À cette époque, il compose *Périodes*, pièce pour sept musiciens qui sera ensuite intégrée à un plus vaste ensemble, *Les Espaces acoustiques*. Il part ensuite aux États-Unis enseigner la composition à l'université de Berkeley. Revenu en France, il est nommé en 1987 professeur au Conservatoire de Paris et collabore à de nombreux festivals en France et à l'étranger, où il donne des conférences, comme celle de Darmstadt, intitulée « La musique ou le devenir des sons ».

Il défend ainsi cette nouvelle esthétique : « Nous sommes des musiciens et notre modèle c'est le son, non la littérature, le son, non les mathématiques. »

Œuvres essentielles

- *Les Espaces acoustiques*, cycle de six pièces
- *Les Chants de l'Amour*
- *Quatre Chants pour franchir le seuil*

John Cage
(1912-1992)

• Un compositeur de musique aléatoire

John Cage naît à Los Angeles, aux États-Unis, en 1912. Au cours de sa formation musicale, il reçoit l'enseignement de Henry Cowell et d'Arnold Schoenberg (voir chapitre précédent) et est influencé par Edgar Varese (voir biographie, p. 119). En rupture avec la tradition, il utilise le hasard comme procédé de composition. Sa musique est qualifiée d'aléatoire. En 1937, il organise une conférence où il expose ses principes : **tous les types de bruits sont pour lui des sons musicaux à part entière.**

John Cage, photo Philippe Coqueux, © Specto.

• Le piano préparé

En 1938, John Cage invente le **« piano préparé »** : sur les cordes de l'instrument sont disposés des morceaux de bois et de métal qui changent la couleur et la hauteur du son mais produisent aussi des résonances nouvelles, imprévisibles de la part de l'exécutant. En 1945, John Cage est influencé par la pensée orientale et étudie la philosophie zen.

• De l'intérêt pour tous les arts

Le compositeur part ensuite vivre à New York. Son intérêt pour toutes les formes d'art l'amène à devenir le directeur artistique de la compagnie de danse du chorégraphe Merce Cunningham en 1952. Il collabore également avec le pianiste David Tudor (1920-1996) et les peintres Max Ernst et Marcel Duchamp. En 1954, il parcourt l'Europe. En 1958, il donne à Darmstadt (voir Repères, p. 130) des cours sur la musique aléatoire qui suscitent un grand intérêt dans la mesure où il expose une conception musicale qui s'oppose à la musique sérielle*. Pour lui, « la musique est un autre mot pour désigner la vie ». Il meurt à New York en 1992.

Œuvres essentielles

- *Bacchanale* pour piano préparé
- *Seize sonates et quatre interludes* pour piano préparé
- *4'33"*
- *Concerto pour piano et orchestre*

Les courants du jazz

Miles Davis en concert à Zurich en 1991,
© AKG Paris.

Le point commun : Miles Davis

Pendant près d'un demi-siècle, un musicien traverse tous les courants du jazz en y imprimant sa marque et son génie : il s'agit du trompettiste **Miles Davis** (1926-1991). Dès qu'il se sent à l'aise dans un style, le musicien noir américain cherche ailleurs de quoi stimuler son imagination. C'est ainsi qu'il fait crier au scandale les puristes quand, dans les années 1960, il intègre dans son groupe des musiciens et des instruments venus du rock'n roll (claviers et guitares électriques).

• Le *be-bop*

En réaction au courant *swing* jusqu'alors dominant, quelques jeunes musiciens se réunissent dans les années 1940 au Minton's club de Harlem (New York) pour produire une musique plus nerveuse et virtuose. Il s'agit notamment de Dizzy

Gillespie (trompette), Thelonious Monk (piano) et Charlie Parker (saxophone).

• **Le *cool jazz***

À la fin des années 1940, quelques musiciens lassés du *bop* mettent en place un nouveau style moins rapide, plus réfléchi, cherchant des sonorités orchestrales proches de celles de la musique classique. Miles Davis (trompette) et John Lewis (piano) sont des figures marquantes de ce courant.

• **Le *third stream***

Ce « troisième courant » – tentative de mélange entre la tradition improvisée du jazz et la rigueur d'écriture de la musique classique – apparaît dans les années 1950. À partir des recherches de théoriciens-musiciens comme le corniste Gunther Schuller, des personnalités venues du *cool jazz* comme John Lewis ou Miles Davis s'y intéressent de près.

• **Le *hard bop***

Cette deuxième période du *bop* – qui s'amorce au milieu des années 1950 – se caractérise par l'approfondissement des thèmes et de la manière de jouer des musiciens du *be-bop* des années 1940. Les tenants de ce courant sont tous des virtuoses de l'improvisation : Sonny Rollins et John Coltrane (saxophone), Max Roach et Art Blakey (batterie), Horace Silver (piano) et Lee Morgan (trompette).

• **Le *free jazz***

Ce courant se dessine dans les années 1960. Il possède comme caractéristique essentielle la volonté de faire éclater tous les cadres établis pendant les décennies précédentes par la tradition du jazz : les mélodies, les rythmes, les accords, les structures et même les manières de jouer sont remises en question pour offrir une musique plus « libre » (traduction de *free*). Ornette Coleman (saxophone et trompette), Eric Dolphy (saxophone, flûte, clarinette) et Charles Mingus (contrebasse) en sont les principaux représentants. Le disque phare de ce courant, enregistré par Ornette Coleman en 1961, porte justement le titre *Free Jazz* et comporte un unique morceau improvisé de trente-sept minutes.

• **Le *jazz rock***

Le *jazz rock* est un mélange opéré à la fin des années 1960, et pendant la décennie suivante, entre le *hard bop* et le *free jazz*. Miles Davis (toujours lui !) s'entoure de musiciens éclectiques qui participent à ses enregistrements avant de le quitter pour fonder leurs propres formations. Ces musiciens sont, entre autres, Herbie Hancock (piano), Wayne Shorter (saxophone), Joe Zawinul (piano), Chick Corea (piano), John Mac Laughlin (guitare).

• **Les courants actuels**

Depuis le début des années 1980, on assiste à une multiplication de courants dérivés de ceux décrits précédemment. On peut citer le *neo-bop* (dernier avatar connu du *be-bop)*, le *jazz fusion* (mélange de jazz et d'autres traditions musicales), la *world music* (incluant des influences venues de musiques extra-européennes), sans oublier tous les genres liés à l'électronique, etc. Pour conclure ce panorama, on peut dire que le jazz a désormais quitté depuis longtemps la sphère d'influence afro-américaine – il existe des jazzmen blancs et européens comme le guitariste belge Django Reinhardt (1910-1953) – pour se créer et se diffuser partout dans le monde.

Les genres musicaux de 1945 à nos jours

Après la Seconde Guerre mondiale, les compositeurs ne se limitent plus aux anciennes formes ni aux anciens genres mais en inventent d'autres, en combinant tout ce qu'il est possible de mêler : exécution en direct, composition entièrement réalisée de manière électronique ou mélange de ces deux procédés. Si le sérialisme* a trouvé des défenseurs au tout début de cette période, l'éventail des techniques d'écriture s'est ensuite élargi.

L'EXÉCUTION « TRADITIONNELLE »

Un premier ensemble de pièces rassemble toutes les **œuvres écrites pour des formations habituelles et jouées « en direct » devant le public.** On y trouve des genres « anciens » ainsi que des morceaux pouvant s'y rattacher. Comme auparavant, la qualité de l'interprétation en détermine la valeur. On peut cependant déceler une nouveauté : les pièces de musique aléatoire. Les interprètes ont une influence sur l'ordre des morceaux et peuvent également choisir certains passages plus que d'autres. Les fragments ainsi retenus peuvent eux aussi être sujets à des options de la part des musiciens.

L'EXÉCUTION « DIFFÉRÉE »

Le deuxième groupe de pièces comprend tout **ce qui ne peut s'écouter qu'au moyen d'un support enregistré** (bande magnétique, disque compact, fichier informatique). L'auditeur ne peut plus être en face des musiciens, mais l'œuvre est toujours telle que le compositeur l'a imaginée. Dans cette catégorie, on peut ranger les productions de la musique concrète* et de la musique électronique. La façon de procéder est toujours la même : il s'agit de traiter puis de mixer des échantillons sonores provenant de différentes sources (bruits, voix, instruments).

L'EXÉCUTION « MIXTE »

Le dernier groupe de pièces comprend des **œuvres qui sont jouées devant un public avec des musiciens mais qui nécessitent la présence d'ordinateurs ou de machines** qui ajoutent des sons ou transforment ceux qui sont émis en direct par les interprètes. Ainsi une séquence préenregistrée peut ne se déclencher qu'après le jeu de telle ou telle série de notes produites par tel ou tel instrument. De plus, les musiciens peuvent également réagir en décidant ou non de transformer leur son à travers les machines.

Jean-Michel Jarre en concert, © Philippe Gontier.

CHAPITRE 9

Toutes les musiques

Les musiques du monde

La musique de l'« autre »

S'il est évident que la musique est une activité universelle, l'intérêt porté aux traditions musicales – tout aussi bien savantes que populaires – des cultures non-occidentales est assez récent : il a fallu attendre le XXe siècle pour qu'on cesse de penser que notre musique savante d'origine européenne était la seule qui vaille la peine d'être écoutée et étudiée et que tout ce qui se jouait ou se chantait ailleurs n'était que la manifestation d'une culture « primitive ». Encore aujourd'hui, il faut se méfier des jugements de valeur péremptoires quand les seuls points de repère sont Michael Jackson ou même la musique classique. D'ailleurs, il n'est pas forcément nécessaire d'effectuer de longs déplacements pour trouver d'autres musiques : en Europe même, certaines musiques populaires (au sens ethnologique du terme) sonnent de manière tout à fait « exotique », même si elles sont géographiquement plus proches.

Salmunori Hanullim, ensemble de percussions coréen, Festival d'Automne à Paris, 2002, © Enguerand.

Voix et instruments : ressemblances et différences

D'un continent à l'autre, les pratiques musicales et leurs manifestations peuvent être très différentes, mais on retrouve les mêmes familles d'instruments (les cordes, les vents et les percussions), plus ou moins privilégiées. Ainsi l'Asie du Sud-Est a considérablement développé les percussions, plus que toute autre famille instrumentale.

Les manières de chanter sont quant à elles très diverses, voire très éloignées des pratiques occidentales, tout comme les techniques de jeu des instruments. L'Occident privilégie en effet une émission sonore nette et pure, sans aucun bruit parasite, alors que la tendance en Afrique est de « brouiller » les sons.

Certains pays vont même jusqu'à chanter de façon peu ordinaire pour nous. Le chant diphonique mongol est ainsi très spectaculaire : on fait entendre deux sons simultanément en produisant une note grave avec la gorge et un son aigu issu de la résonance des cavités buccales et nasales.

Quelques exemples

- Afrique du Nord, Maroc, l'*ud* (luth)
- Afrique, République centrafricaine, chant polyphonique des Pygmées
- Asie du Sud-Est, Indonésie, Bali : orchestre de gamelan (percussions métalliques)
- Asie, Inde : le sitar (instrument à cordes pincées)
- Amérique du Nord, Canada : jeux vocaux des Eskimos Inuits
- Amérique du Sud, Bolivie : flûte de pan
- Europe, Écosse : cornemuse
- Europe, pays alpins : cor des Alpes (longue trompe en bois)
- Océanie, Australie, le *didjeridou* (branche d'eucalyptus creusée)

Cherifa Chant des Cheika, ensemble marocain, Festival d'Automne à Paris, 1999, © Enguerand. L'homme joue du luth.

Le rock'n roll

Les origines

Le **rock'n roll** est apparu au début des années 1950 aux États-Unis. Il provient du mélange de plusieurs styles musicaux : le **blues** (dont il adopte la structure en 12 mesures), le *rythm & blues* (plus rythmé) et la musique *country* (des Blancs de la campagne). Pour simplifier, on peut dire qu'il s'agit d'un blues très accéléré et beaucoup plus dynamique. Il peut tout aussi bien s'agir de musique purement instrumentale que de chansons. Sa rapide diffusion est favorisée par plusieurs facteurs : l'invention du disque 33 tours, le développement de la radio, l'accession de la jeunesse à une plus grande liberté d'expression et à un certain pouvoir d'achat.

Danseurs de rock au caveau de la Huchette, 1955, © AKG Paris/Paul Almasy.

Les pionniers

S'il est difficile d'attribuer la paternité du genre à un musicien plutôt qu'à un autre, quelques noms évoquent néanmoins sa création. En 1954-1955, le Blanc Bill Haley enregistre le titre *Rock around the clock* (qui devient l'année suivante le tout premier tube du *rock'n roll*) tandis que les guitaristes Carl Perkins (*Blue Suede Shoes*) et Chuck Berry (*Roll over Beethoven*) gravent des standards* repris par de très nombreux artistes par la suite. Mais un jeune Blanc les supplante tous et devient la première idole musicale planétaire : Elvis Presley.

Elvis Presley (1935-1977)

« Un Blanc qui chante la musique des Noirs » : c'est ce que recherche depuis quelques mois le directeur de la maison de disques Sun. L'été 1954, il enregistre le premier 45 tours (une face *rock* pour les Noirs et une face *country* pour les Blancs) d'un jeune camionneur qui a tout pour lui : une voix splendide, un jeu de jambes extraordinaire, une façon de s'habiller très « rebelle » et un charme qui ne laisse pas indifférent. Pendant cinq ans, il personnifie à lui seul le rock'n roll. Mais à son retour du service militaire en 1960, l'innovation se situe de l'autre côté de l'Atlantique : le rock des origines n'a pas su évoluer.

La vague anglaise

Très influencés par la musique américaine, différents groupes anglais se forment au début des années 1960 et reprennent tout d'abord les morceaux de leurs aînés avant de composer leurs propres chansons. Le premier de ces groupes et le plus important musicalement est celui des **Beatles** (John Lennon, Paul McCartney, George Harrison et Ringo Starr) dont les membres se séparent en 1970. Les **Rolling Stones** (menés par Mick Jagger) suivent peu après et continuent de jouer et d'enregistrer depuis près de quarante ans sans interruption. Dans un registre plus instrumental (rock « planant »), les **Pink Floyd** (comprenant entre autres Roger Waters et David Gilmour) ont occupé la scène pendant une trentaine d'années.

Les *Rolling Stones* en concert, 1972, © Lynn Goldsmith/CORBIS.

La *pop music*

Dans la mouvance rock, vaste nébuleuse d'artistes contestataires, il faut mentionner la *pop music* (musique « populaire », « pour tous ») qui regroupe tout à la fois des chanteurs à textes (Bob Dylan, Joan Baez ou Leonard Cohen) et des musiciens ayant une activité plus commerciale que revendicative.

French rock

La vague rock a bien touché la France et si certains rockers des débuts sont restés au stade de l'imitation des modèles américains (Dick Rivers), d'autres ont su évoluer en tirant habilement parti de toutes les modes et en poursuivant vaillamment leur carrière jusqu'à aujourd'hui (Johnny Hallyday). Pour finir, notre pays a compté des groupes originaux qui ont su en leurs temps correspondre aux attentes musicales des jeunes ; le plus emblématique d'entre eux a été le groupe Téléphone (1976-1984).

La musique de variété

La chanson populaire

Ce terme, qui peut parfois avoir une connotation péjorative, désigne toute la musique « populaire » chantée (qui n'est ni « savante » ni « folklorique »). Celle-ci connaît une très large diffusion depuis le début du XXe siècle.

La musique enregistrée et diffusée

Pour la première fois, les auditeurs ne sont pas obligés de se trouver au même endroit que les musiciens et chanteurs. Les principaux moyens de diffusion ont été les rouleaux de cire, les disques 78, 45 puis 33 tours, sans oublier la cassette enregistrable (au début des années 1960) ou le disque compact (apparu au début des années 1980). L'autre vecteur capital a été et est toujours la radio, qui s'est largement développée entre les deux guerres puis qui a connu une spectaculaire expansion dans les années 1950 avec l'invention du transistor. La télévision est un acteur essentiel de la diffusion musicale. Toute chanson à succès doit passer par la réalisation d'un « clip » (véritable petit film) pour assurer sa promotion. De nombreuses chaînes les diffusent en permanence, ainsi que des concerts enregistrés. Tout récemment, les DVD musicaux ont apporté une qualité d'image et un confort d'écoute que n'offraient pas les cassettes vidéo.

Les A.C.I. : auteurs-compositeurs-interprètes

Georges Brassens, © Pimentel Jean/ Corbis Kipa.

Les chanteurs de variété sont principalement de deux types : ils interprètent des chansons écrites par d'autres ou bien ils sont tout à la fois auteur (pour le texte), compositeur (pour la musique) et interprète. Dans le dernier cas, ils sont capables de jouer d'un instrument (piano ou guitare).

La chanson française : quelques repères

Le panorama qui suit propose quelques artistes et chansons de langue française par périodes de dix ans.

• Les années 1920

Mistinguett : « Mon homme » (1920), Maurice Chevalier : « Valentine » (1925), Lucienne Boyer : « Parlez-moi d'amour » (1929).

• Les années 1930

Joséphine Baker : « J'ai deux amours » (1930), Ray Ventura : « Tout va très bien Madame la Marquise » (1935), Charles Trénet : « Y'a d'la joie » (1937).

• Les années 1940

Luis Mariano : « La belle de Cadix » (1945), Édith Piaf : « La vie en rose » (1945), Tino Rossi : « Petit Papa Noël » (1946).

• Les années 1950

Georges Brassens : « Chanson pour l'Auvergnat » (1954), Guy Béart : « L'eau vive » (1958), Jacques Brel : « Ne me quitte pas » (1959).

• Les années 1960

Gilbert Bécaud : « Et maintenant » (1962), Serge Gainsbourg : « La Javanaise » (1963), Charles Aznavour : « La bohème » (1966).

• Les années 1970

Maxime Le Forestier : « San Francisco » (1973), Michel Sardou : « La maladie d'amour » (1973), Michel Berger : « La groupie du pianiste » (1978).

• Les années 1980

Jean-Jacques Goldman : « Quand la musique est bonne » (1982), Téléphone : « Un autre monde » (1984), Patrick Bruel : « Casser la voix » (1989).

Patrick Bruel,
© Photo Lozahic/Mephisto.

• Les années 1990

Alain Souchon : « Foule sentimentale » (1993), Gérald de Palmas : « Sur la route » (1994), Céline Dion : « S'il suffisait d'aimer » (1998).

• Les années 2000

Henri Salvador : « Le jardin d'hiver » (2000), Renaud : « Mannattan-Kaboul » (2002).

Les musiques électroniques

Loin d'être un phénomène récent, l'application de nouvelles technologies à la musique, et notamment à la fabrication d'instruments de musique (au sens large) s'est régulièrement produite depuis le début du XXe siècle. Les découvertes dans les domaines de l'électricité, de l'électronique puis de l'informatique ont profondément modifié les rapports entre le « musicien » et ses « outils ».

Guitare électrique, modèle Electromatic, États-Unis, 1955, © Paris, Musée de la Musique, © Photo Albert Giordan/Musée de la Musique, Cité de la Musique.

Les premiers pas

C'est le Russe Léon Theremine (1896-1993) qui entame cette révolution acoustique en 1920 avec un appareil électrique muni de deux antennes : l'aetherophone ou thereminovox. En déplaçant ses mains entre les antennes, on peut modifier la hauteur de manière continue, pour produire des sons ressemblants aux bruitages des fantômes au cinéma. Onze ans plus tard, le Français Maurice Martenot (1898-1980) met au point l'instrument qui l'a rendu célèbre : les ondes Martenot. Il s'agit d'un instrument électrique à clavier qui peut également se jouer « au ruban », en déplaçant le doigt sur un ruban situé devant le clavier, et qui produit le même genre de sonorité que l'appareil russe. Les ondes Martenot connurent un certain succès dans les années 1930-1950. La troisième invention importante de la première moitié du XXe siècle a été celle de la bande magnétique en 1935 par la firme AEG. Cette dernière permet de manipuler des sons enregistrés, en découpant (avec une paire de ciseaux) puis en collant (avec de l'adhésif) des petits bouts de bande.

Le second XXe siècle

Dans les années 1950, on assiste à une très large utilisation de la bande magnétique par les compositeurs « savants » français (Pierre Henry et Pierre Schaeffer) et allemands (Stockhausen). C'est la période de la musique concrète*. Dans les années 1980, Pierre Boulez utilise l'ordinateur 4X (aujourd'hui au Musée de la musique à Paris) pour produire et modifier des sons en temps réel. Depuis une dizaine d'années, les innovations viennent du vaste monde de la musique *techno*, terme qui rassemble tous les genres musicaux liés à la danse et utilisant largement les appareils décrits ci-dessous.

Quelques inventions

• Le **disque compact** : inventé par Philips en 1984, son format de 12 cm est désormais un standard de disques numériques.

• Le **synthétiseur** : générateur de sons électronique qui recrée des sonorités existantes ou en invente de nouvelles. Le plus célèbre est le Yamaha DX7 (inventé en 1983).

• L'**expandeur** : appareil se présentant sous la forme d'un boîtier contenant dans sa mémoire des sons qu'on peut choisir mais non modifier. De nombreux modèles existent avec un clavier intégré.

• L'**échantillonneur** (sampleur) : appareil capable d'enregistrer du son puis de le transformer à volonté pour l'intégrer dans des boucles. La firme AKAI est pionnière dans ce domaine dès 1986.

• La **boîte à rythmes** : appareil permettant de créer des *patterns** rythmiques.

Quelques formats de fichiers sonores

L'informatique utilise plusieurs formats de fichiers qui sont désormais compatibles entre les différents systèmes. On connaît entre autres :

• les fichiers « midi » qui utilisent la norme du même nom (*Musical Instrument Digital Interface*), permettant de relier entre eux des synthétiseurs et des logiciels de marques différentes. Ces fichiers ne contiennent que des ordres de jeu du genre : « jouer un *fa* avec un son de trompette pendant deux temps avec une attaque brutale et un arrêt progressif » ; ces fichiers sont très légers ;

• les fichiers « wave » (pour PC), « aiff » (pour Mac) et autres, qui sont la traduction numérique de sons réels (comme une chanson) : ces fichiers sont très lourds : 10 Mo (mégaoctets) par minute ;

• les fichiers compressés « Mp3 », dérivés des précédents mais environ 10 fois plus légers ; c'est la raison de leur grand succès et de leur large diffusion par le biais de l'Internet.

Michel Berger en concert, 1986, photo Mephisto, © Mephisto.

Composition

Inventer une musique « chinoise » sur la gamme pentatonique

• Fabriquer une gamme pentatonique

La gamme pentatonique – à cinq notes – ne se rencontre pas uniquement en Chine, mais dans de très nombreux pays sur tous les continents. Elle se fabrique à partir d'une gamme dont on enlève la quatrième et la septième note :

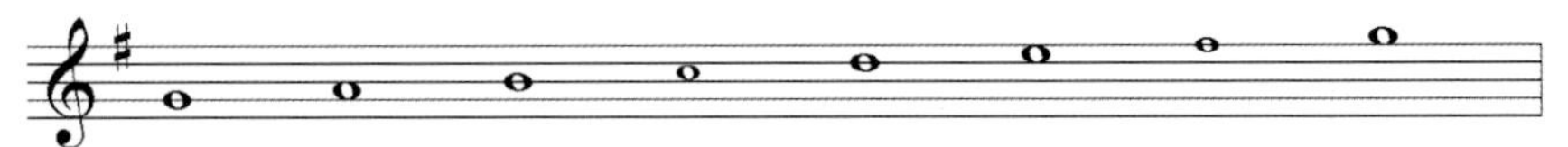

• Rassembler les éléments musicaux

À la flûte, on peut donc jouer les notes suivantes :

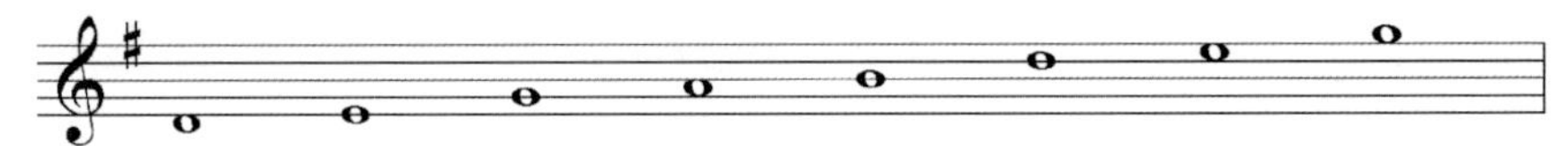

Pour inventer une musique « chinoise », on peut alors utiliser ces notes et combiner les rythmes suivants selon son imagination :

• Deux exemples

Les deux morceaux qui suivent sont bâtis sur le même plan : une phrase musicale qui est répétée mais dont la fin change. Le premier a *sol* comme note finale tandis que le second se termine sur *mi.*

Jour de marché

Extraits du CD
62'19"

Glossaire

Accord : émission simultanée de plusieurs notes différentes.

Alto : voix de femme grave ou bien instrument plus grave que le **soprano**.

Atonalisme : système de composition qui emploie des accords indépendants les uns des autres ou inhabituels.

Basse : voix d'homme grave ou bien instrument grave d'une famille. Ex. : la flûte à bec basse.

Basse continue : procédé d'accompagnement typique de l'époque baroque, destiné à un instrument **polyphonique** et à une **basse** d'archet. Le compositeur n'écrit qu'une ligne de musique comportant des chiffres écrits en-dessous. Le joueur de basse exécute la musique telle quelle tandis que le claveciniste ou le luthiste s'aide des chiffres pour produire les bons accords et improviser un accompagnement.

Canon : procédé qui consiste à faire jouer une même musique à plusieurs groupes intervenant d'une manière décalée dans le temps.

Cantate : terme général pour une œuvre vocale (donc destinée à être « chantée ») en opposition à une **sonate** qui est destinée à des instruments (à être « sonnée »).

Chantre : ecclésiastique chargé de chanter lors des offices religieux. Il peut être soliste ou bien appartenir à un chœur.

Chevillier : extrémité du manche d'un instrument à cordes (violon, guitare) où sont fixées les chevilles permettant de tendre ou de détendre les cordes.

Choral : chant religieux protestant simple, apparu à la Renaissance lors de la Réforme.

Chromatisme : mouvement mélodique de notes très proches évoluant par demi-tons. Ex. : *do – do dièse.*

Clavier : ensemble de touches. Se dit pour un piano, un clavecin ou un orgue.

Clé : 1) Signe placé en début de portée indiquant à quelle hauteur se situe la musique (clé de *sol* pour les instruments aigus, clé d'*ut* pour les instruments médiums et clé de *fa* pour les instruments graves. 2) Mécanisme d'un instrument à vent permettant de boucher avec un doigt un trou éloigné ou très gros ou bien plusieurs trous en même temps.

Concerto : composition instrumentale opposant un soliste et un orchestre.

Concerto grosso : concerto ayant plusieurs solistes.

Conduit : pièce de musique religieuse médiévale, utilisée pour accompagner une procession.

Contrechant : mélodie secondaire qui accompagne une mélodie principale.

Contrepoint : technique d'écriture envisageant la musique de manière horizontale, comme une superposition de lignes mélodiques autonomes. Le contrepoint est à la base d'œuvres complexes telles que le canon ou la fugue.

Crescendo : indication de volume signifiant « de plus en plus fort ». Le contraire est *decrescendo.*

Dissonance : notes qui ne sonnent pas bien ensemble.

Dodécaphonisme : technique d'écriture **atonale** ne privilégiant aucun des douze demi-tons de la gamme par rapport aux autres.

Enharmonie : noms différents donnés à deux notes sonnant de manière identique, comme *si* bémol et *la* dièse.

Figuralisme : représentation musicale d'une idée, d'un objet ou d'un personnage.

Frettes : barrettes délimitant les cases du manche d'un instrument à cordes (guitare, luth, viole de gambe). Chaque case représente un demi-ton.

Formation : détail d'un ensemble de musiciens et/ou de chanteurs.

Forte : indication de volume signifiant : « fort ».

Fugue : pièce de musique reposant sur le principe de l'**imitation**.

Grégorien : type de chant d'église caractérisé par une sorte de récitation chantée (le nom vient du pape Grégoire le Grand).

Harmonie : 1) Technique d'écriture musicale envisageant la musique de manière verticale, comme étant une succession d'accords. 2) instruments à vent de l'orchestre.

Homophone : qui sonne simultanément, avec les mêmes notes.

Imitation : procédé musical qui consiste à faire entendre dans une partie un motif déjà entendu dans une autre.

Instrument monodique instrument ne pouvant jouer qu'une seule note à la fois.

Instrument polyphonique : instrument pouvant jouer plusieurs notes à la fois, ce qui lui permet de jouer en même temps une mélodie et son accompagnement.

Leitmotiv : « motif conducteur » en allemand. Dans les opéras de Wagner, thème représentant une idée ou un personnage.

Lied : poème allemand mis en musique et le plus souvent accompagné au piano.

Liturgie : organisation des offices religieux.

Livret : texte d'un opéra.

Madrigal : genre vocal inventé en Italie, qui suit musicalement de très près le sens du texte.

Maître de chapelle : équivalent d'un chef d'orchestre, attaché à une église ou à une personne.

Mélodie : succession de notes formant un tout que l'on peut reconnaître.

Mélodrame : drame mêlé de musique.

Messe : mise en musique des textes de l'office religieux, qui comprend des parties fixes (l'**ordinaire**) et des parties mobiles (le **propre**).

MODALITÉ : technique d'écriture qui repose sur l'emploi d'un mode, c'est-à-dire d'une gamme débutant sur une note « blanche » du piano (*do*, *ré*, *mi*, etc.) et qui se poursuit sur les autres.

MOTET : au Moyen Âge, composition vocale pouvant comprendre différents textes placés au-dessus d'une **teneur** grégorienne. Par la suite, œuvre vocale religieuse qui n'utilise pas les textes de la messe.

MOUVEMENT : partie d'une œuvre, dont la vitesse est souvent différente des autres parties. On peut ainsi rencontrer : *adagio* (lent), *andante* (allant), *allegro* (joyeux) ou *presto* (rapide).

MUSIQUE CONCRÈTE : courant musical apparu dans les années 1950 considérant le son (envisagé tel quel) comme matériau musical de base. Ainsi le grincement d'une porte a pu donner lieu à toute une composition.

NEUMES : ensemble de signes placés au-dessus du texte et destinés à tracer le contour d'une mélodie **grégorienne**.

OUÏES : ouvertures en forme de *f* placées sur le dessus de la caisse de résonance du violon.

OPÉRA : pièce de théâtre chantée accompagnée par un orchestre.

OPÉRA-COMIQUE : opéra contenant des dialogues parlés.

OPÉRETTE : opéra de divertissement, très prisé à partir du XIXe siècle.

ORATORIO : opéra à sujet religieux.

ORDINAIRE : les parties de la messe qui sont valables tous les jours.

ORGANUM : composition médiévale construite à partir d'une mélodie préexistante. Le musicien invente d'autres lignes mélodiques qui se superposent à elle.

ORNEMENT : **notes** qui embellissent une mélodie.

OSTINATO : motif mélodique ou rythmique qui se répète.

PARDESSUS : instrument le plus aigu de la famille des violes de gambe et qui comprend six cordes.

PATTERN : motif rythmique répétitif.

PIANO : 1) Indication de volume signifiant : « doux ». 2) Instrument à clavier.

PLAIN-CHANT : chant « plan », se déroulant avec un petit nombre de notes différentes.

POÈME SYMPHONIQUE : composition orchestrale en un mouvement. En tête de la partition se trouve le poème ou la référence à l'œuvre théâtrale ou picturale qu'illustre la composition.

POLYPHONIE : musique dont les différentes parties ont une certaine autonomie les unes par rapport aux autres.

POLYPHONIQUE : qui est capable de jouer plusieurs notes en même temps. Le piano et la guitare sont des instruments polyphoniques.

POLYTONALITÉ : technique d'écriture utilisant simultanément au moins deux tonalités. Il s'agit le plus souvent de faire jouer une même mélodie « en parallèle » (en *do* et en *fa dièse* par exemple).

PROFANE : destiné au divertissement ou à l'étude, contraire de **sacré**.

PULSATION : battement régulier donnant les « temps » de la musique. Souvent utilisé au pluriel : les pulsations.

RÉCITATIF : dans un opéra, passage chanté (presque récité) avec un débit rapide, très proche de celui de la conversation.

REQUIEM : nom donné à la messe des morts, qui constitue un genre fréquent à partir du XVe siècle. On parle ainsi du *Requiem* de Mozart ou de Fauré.

SACRÉ : destiné à l'église, contraire de **profane**.

SÉQUENCE : dans le vocabulaire médiéval, il s'agit du **trope** de la **vocalise** de l'*alleluia*. De nos jours, une séquence est une composition réalisée à l'aide d'un ordinateur.

SÉRIALISME : technique d'écriture dérivée du **dodécaphonisme**, qui ordonne de manière très stricte, à partir d'une série de base, les douze demi-tons de la gamme.

SONATE : œuvre instrumentale destinée à faire « sonner » un instrument.

SOPRANO : voix de femme aiguë ou bien instrument aigu d'une famille. Ex. : la flûte à bec soprano.

STANDARD : morceau faisant partie de la culture commune de tous les *jazzmen*.

STYLE CONCERTANT : style apparu à l'époque baroque, faisant dialoguer les voix et / ou les instruments.

SUITE : composition instrumentale se développant en plusieurs morceaux de caractères différents, mais de même tonalité.

SYMPHONIE : composition en plusieurs mouvements destinée à un orchestre.

TEMPO : vitesse des **pulsations**.

TENEUR : mélodie grégorienne connue servant de base à une composition médiévale.

TÉNOR : voix d'homme aiguë ou bien instrument plus grave que l'alto. Ex. : le saxophone ténor.

TONALITÉ : technique d'écriture qui repose sur l'utilisation d'une échelle musicale donnée (note de départ et mode) servant de référence à tout un morceau. Elle s'est développée à partir du XVIe jusqu'au début du XXe siècle. Toute la musique de variété actuelle est encore écrite de cette manière.

TONALITÉ ÉLARGIE : technique d'écriture dérivée de la **tonalité** « classique » mais qui se permet des écarts par rapport à celle-ci.

TROPE : application d'un texte nouveau à une **vocalise grégorienne** préexistante.

VARIATION : procédé qui consiste à transformer une mélodie en lui ajoutant des notes ou en modifiant son rythme.

VOCALISE : série de notes chantées sur une seule syllabe de texte.

Index des noms de musiciens et compositeurs

Achevé d'imprimer chez Macrolibros en Espagne
Dépôt légal : 09/2017 - Collection n° 29 - Édition n° 07
12/5347/5